D1303253

DEVENEZ MAÎTRE DE VOTRE VIE

Catalogage avant publication de Bibliothèque
et Archives nationales du Québec et Bibliothèque
et Archives Canada

Maighan, Stephan

    Devenez maître de votre vie

    (Collection Croissance personnelle)

    ISBN 978-2-7640-1782-1

    1. Actualisation de soi. 2. Succès. 3. Morale pratique. I. Titre. II. Collection: Collection Croissance personnelle.

BF637.S4M34 2011   158.1   C2011-941233-0

© 2011, Les Éditions Quebecor
Une compagnie de Quebecor Media
7, chemin Bates
Montréal (Québec) Canada
H2V 4V7

Dépôt légal: 2011
Bibliothèque et Archives nationales du Québec

Pour en savoir davantage sur nos publications,
visitez notre site: www.quebecoreditions.com

Éditeur: Jacques Simard
Conception de la couverture: Bernard Langlois
Illustration de la couverture: Istockphoto
Conception graphique: Sandra Laforest
Infographie: Claude Bergeron

Imprimé au Canada

Gouvernement du Québec – Programme de crédit d'impôt pour l'édition
de livre - Gestion SODEC.

L'Éditeur bénéficie du soutien de la Société de développement des entreprises culturelles du Québec pour son programme d'édition.

Nous reconnaissons l'aide financière du gouvernement du Canada par
l'entremise du Fonds du livre du Canada pour nos activités d'édition.

DISTRIBUTEURS
EXCLUSIFS:

• Pour le Canada et les États-Unis:
MESSAGERIES ADP*
2315, rue de la Province
Longueuil, Québec J4G 1G4
Tél.: (450) 640-1237
Télécopieur: (450) 674-6237
* une division du Groupe Sogides inc.,
filiale du Groupe Livre Quebecor Média inc.

• Pour la France et les autres pays:
INTERFORUM editis
Immeuble Paryseine, 3, Allée de la Seine
94854 Ivry CEDEX
Tél.: 33 (0) 4 49 59 11 56/91
Télécopieur: 33 (0) 1 49 59 11 33

**Service commande France
Métropolitaine**
Tél.: 33 (0) 2 38 32 71 00
Télécopieur: 33 (0) 2 38 32 71 28
Internet: www.interforum.fr

**Service commandes Export –
DOM-TOM**
Télécopieur: 33 (0) 2 38 32 78 86
Internet: www.interforum.fr
Courriel: cdes-export@interforum.fr

• Pour la Suisse:
INTERFORUM editis SUISSE
Case postale 69 – CH 1701 Fribourg
– Suisse
Tél.: 41 (0) 26 460 80 60
Télécopieur: 41 (0) 26 460 80 68
Internet: www.interforumsuisse.ch
Courriel: office@interforumsuisse.ch

Distributeur: OLF S.A.
ZI. 3, Corminboeuf
Case postale 1061 – CH 1701 Fribourg
– Suisse

Commandes: Tél.: 41 (0) 26 467 53 33
Télécopieur: 41 (0) 26 467 54 66
Internet: www.olf.ch
Courriel: information@olf.ch

• Pour la Belgique et le Luxembourg:
INTERFORUM BENELUX S.A.
Fond Jean-Pâques, 6
B-1348 Louvain-La-Neuve
Tél.: 00 32 10 42 03 20
Télécopieur: 00 32 10 41 20 24

Stephan Maighan

DEVENEZ MAÎTRE DE VOTRE VIE

Pour être et obtenir ce que vous désirez

LES ÉDITIONS
Quebecor
Une compagnie de Quebecor Media

Dédicace

Je dédie ce livre à une femme vraiment extraordinaire : ma mère, Lucie.

Je me souviens comme si c'était hier de la soirée où nos deux vies ont été à tout jamais transformées. Nous étions assis ensemble dans la voiture lorsque tu as subi un accident vasculaire cérébral.

Tu n'avais que 28 ans et je n'en avais que 7 quand, tout à coup, sans avertissement, tu as perdu l'usage de la parole et de tout ton côté droit. J'essayais de sortir de l'auto alors que tu tentais de me retenir avec ta main gauche sans pouvoir dire un mot.

Lorsque l'ambulance est arrivée et que tu es partie, inconsciente, je croyais sincèrement avoir perdu tout ce qui comptait dans ma vie. Pendant que tu étais dans le coma, je priais sans cesse afin que tu puisses me revenir.

Mes prières ont été exaucées !

Aujourd'hui, tu es une source d'inspiration extraordinaire. Beau temps, mauvais temps, tu trouves toujours une raison de sourire. Tu aurais facilement pu choisir de rester chez toi et t'apitoyer sur ton sort. Au contraire, tu t'installes chaque jour dans ton fauteuil roulant et tu trouves le moyen d'aller encourager et inspirer tous ceux qui se trouvent sur ton chemin.

Ton attitude inébranlable et ta façon de réagir aux épreuves de la vie représentent parfaitement le message de ce livre. Tu es assurément devenue maître de ta vie.

Merci de m'avoir enseigné, grâce à ton courage, à ta persévérance et à ta détermination, que ce n'est pas ce qui nous arrive qui compte, mais bien ce qu'on en fait!

Merci d'être et d'avoir été la meilleure mère que j'aurais pu avoir. Merci pour la vie.

Je t'aime.

Ton fils unique, Stephan.

Remerciements

Sans vous, ce livre n'aurait pas vu le jour.

Natasha, ma charmante épouse et ma meilleure amie depuis plus de 20 ans, merci pour ton amour et ta patience durant toutes ces années. Tu as toujours cru en moi même quand je n'y croyais pas. Sans toi, une très grande partie de moi n'aurait jamais vu le jour. Tu es vraiment une femme, une mère et une partenaire extraordinaire, je t'aime.

Calvin et Tiana, vous êtes deux êtres exceptionnels. Tout le bien et tout l'amour que vous avez apportés à ma vie sont incalculables. Chaque jour, vous me permettez de continuer de grandir tout en restant jeune d'esprit. Je suis vraiment fier de vous. Je vous aime. Papa.

Star, la différence que tu as faite dans ma vie et celle de ma famille est immense. Merci beaucoup pour ton soutien, ton amour et ta générosité exceptionnelle.

La famille Grenache, merci pour votre amour et tout ce que vous avez fait pour ma mère et moi.

La famille Sauvé, merci pour votre amour et pour m'avoir accepté comme l'un des vôtres.

Mon éditeur Jacques Simard ainsi que le groupe Quebecor, merci pour votre confiance et pour mener ce premier livre du rêve à la réalité.

Enfin merci à vous, chers amis, participants à mes ateliers et conférences, et à tous ceux que j'ai eu le privilège de côtoyer ces dernières années. Merci de faire partie de ma vie, ce livre a aussi été créé grâce à vous.

Avec amour.

Stephan

Coûte que coûte

C'est à l'âge de 22 ans que j'ai décidé de sortir de ma zone de confort et de m'exiler dans l'Ouest du pays. À l'époque, ma copine Natasha et moi (nous sommes maintenant mariés) avions utilisé les services d'une entreprise qui cherchait des gens afin de conduire les automobiles de leurs clients d'un bout à l'autre du pays. Celle-ci aidait les professionnels et les cadres de haut niveau au moment de leur mutation dans une autre ville.

Cinq mille kilomètres et quelques jours plus tard, nous étions finalement arrivés à Vancouver.

Quelle ville spectaculaire! Les montagnes, la mer, les plages... Il ne restait que deux petits problèmes à régler: je ne parlais pas l'anglais et l'ensemble de tous mes biens, de mes actifs et de mes liquidités totalisait un «gros» 45 $.

J'ai donc rapidement dû faire appel à mon système D (système débrouille).

C'est alors qu'un couple d'Asiatiques (qui ne parlait pas non plus l'anglais) nous a généreusement offert d'habiter dans le sous-sol de sa maison. Cet appartement était complètement séparé du leur et avait été conçu afin de pouvoir accommoder leurs amis tout au plus quelques nuits lorsqu'ils arrivaient au pays.

Nous y sommes finalement restés plus d'un an! Cet endroit n'avait ni fenêtre, sauf une porte-fenêtre, ni cuisine, ni évier.

> Nous devions donc remplir notre baignoire afin d'y nettoyer toute notre vaisselle.

Nul besoin de vous dire que lorsque venait le temps de prendre mon bain ou ma douche après avoir dégusté un bon spaghetti sauce à la viande, je n'étais pas vraiment pressé d'aller me laver... Non, mais quoi? Les femmes d'abord!

L'hygiène personnelle de Natasha passait bien au-delà de mes petits besoins...

Suivez les indices

Maintenant que nous avions trouvé un toit, il était temps de me trouver un emploi.

Mais quel employeur accepterait d'embaucher un jeune Noir qui ne parle pas l'anglais, qui n'a aucune formation scolaire ni expérience pertinente?

> J'aurais pu me questionner longtemps,
> mais je commençais à avoir faim!

J'ai donc décidé d'aller visiter chacun des chantiers de construction et j'ai demandé aux contremaîtres s'ils avaient besoin d'une aide quelconque.

Ma stratégie était simple, je prenais le Skytrain (le transport public local) dès 6 heures chaque matin vers une direction ou une autre jusqu'à ce que j'aperçoive une grande poulie ou un chantier de construction. Je marchais ensuite jusqu'au chantier et, une fois sur les lieux, je tentais de me faire comprendre et de trouver l'entrepreneur ou le contremaître:

«*Who the boss is?*» («Puis-je parler au patron?») demandais-je dans mon anglais improvisé. Puis, je lui disais: «*Me speak no english, me have no experience, me work hard and do anything.*» (Je n'arrivais pas encore à prononcer le «h» dans anything; traduction: «Je ne parle pas anglais, je n'ai aucune expérience, mais je travaille fort et je suis prêt à faire n'importe quoi.») La réponse était toujours la même : «*Sorry, but we don't need any help at this time.*» («Désolé, mais nous n'avons besoin de personne pour le moment.»)

Toutefois, avant de rebrousser chemin, je leur demandais comment modifier mon approche : «*What you do better if you are me?*» («Que feriez-vous différemment si vous étiez à ma place?»)

Chaque fois, j'apprenais un ou deux détails importants qui me permettraient de modifier mon approche et d'atteindre mon but ultime.

Ainsi, le premier contremaître m'a dit que s'il était à ma place, il s'assurerait de ne jamais arriver sur un chantier de construction sans porter de bottes munies de protecteurs en acier. Je l'ai remercié et suis parti à la recherche d'un magasin d'articles d'occasion afin de me procurer une paire de bottes.

Quelques heures et quelques quartiers plus loin, je recommençais le même boniment : «*Me speak no english, me have no experience, me work hard and do anything.*» Malgré mes nouvelles bottes, le résultat est resté le même : «Merci, mais nous avons tout le personnel nécessaire.»

Je ne partais pas sans demander : «Que feriez-vous différemment si vous étiez à ma place?» Il m'a répondu : «Si j'étais toi, je ne me présenterais jamais sans porter un casque de construction.»

> *Je réalisais que cet autre détail important me permettrait de me rapprocher de mon objectif.*

De retour au magasin d'articles d'occasion... Puis, quelques jours et plusieurs chantiers plus tard, un contremaître m'a répondu : «Si j'étais toi, j'arriverais avec quelques outils afin d'être prêt à commencer à travailler.» Un autre m'a dit : «Si tu arrivais avec une boîte à lunch en main, cela démontrerait que tu es vraiment sérieux et que tu es prêt à commencer à travailler.»

Ce n'est qu'après avoir visité plus d'une quarantaine de chantiers dans plusieurs villes que j'ai finalement obtenu ma première chance.

> La seule manière de vous rendre jusqu'au mont Succès est de poursuivre jusqu'au mont Succès.

La compagnie, Gama Construction, venait tout juste de commencer à bâtir un très grand complexe d'appartements pour personnes âgées.

Lorsque le contremaître du chantier m'a présenté à son patron, M. Art, je lui ai répété mon discours : «Je ne parle pas anglais, je n'ai pas d'expérience en construction, mais je travaille très fort et je suis vraiment prêt à faire n'importe quoi pour vous aider.» Il m'a demandé : «Serais-tu prêt à commencer dès maintenant?» Et comme j'avais mes bottes, mon casque, mon lunch et mes outils, je lui ai répondu : *«Absolutely, Sir, I am ready!»* («Absolument, monsieur, je suis prêt!»)

M. Art m'a fait signe de le suivre et m'a indiqué quoi faire. Il a pris aussi le temps de m'expliquer que je devais être sur le chantier pas plus tard que 6 h 45 chaque matin et qu'après m'avoir observé pendant une semaine, il déciderait s'il me garderait comme employé et combien il me paierait s'il m'embauchait.

Enthousiasmé par le fait d'avoir enfin trouvé une façon de subvenir à nos besoins, je me suis mis à travailler très fort. Mes nouvelles tâches consistaient à vider les poubelles se trouvant derrière les travailleurs et à nettoyer tout ce qui traînait, incluant leurs restants de sandwich, de cigarettes et de matériaux de construction.

> Ce n'était guère valorisant,
> mais c'était un début.

J'ai donc continué de travailler fort pendant toute la semaine sans savoir si j'allais me faire payer ni combien j'allais recevoir. Je peux cependant vous affirmer que ce chantier était devenu le plus propre en ville !

Ce n'est qu'à la fin du lundi suivant que M. Art m'a invité à le rejoindre dans son bureau pour m'annoncer sa décision : « Stephan, je peux peut-être faire une place pour toi dans mon entreprise, mais tu dois t'assurer de toujours continuer de travailler aussi fort. »

> Ça y était ! M. Art m'a offert un salaire
> de 13 $ l'heure et j'étais
> officiellement embauché !

J'ai tenté de retenir mes larmes, mais en vain. Pour la première fois depuis mon départ du Québec, je venais enfin de recevoir une indication que j'étais dans la bonne direction. (Du moins, c'est la façon dont j'avais choisi de l'interpréter.)

J'y ai travaillé pendant un an en passant de celui qui ramasse les déchets à conducteur de mini tracteur, puis charpentier-menuisier.

C'est aussi sur ce chantier que j'ai appris mes premières expressions anglaises populaires ! C'était vraiment joli à voir.

Sept caractéristiques pour atteindre votre but

Regardons les sept caractéristiques qui m'ont aidé à atteindre mon but à mon arrivée à Vancouver et qui pourront, je l'espère, vous aider à atteindre le vôtre.

1. Établir son objectif

Il serait facile de dire que cette première caractéristique est évidente pour tous ; malheureusement, trop de gens et d'entreprises omettent d'établir clairement leurs objectifs dès le départ.

Si votre rêve est de voyager, il est important de réaliser que faire le tour du monde ou faire celui des maisons de votre voisinage ne sont pas le même objectif.

> La clarté de votre but à atteindre est non seulement nécessaire pour réussir, mais cela vous aidera aussi à focaliser toutes vos ressources et énergies sur la tâche à accomplir.

2. Vaincre la peur de l'inconnu

Est-ce que le facteur «peur» risque de jouer un rôle important lorsqu'on décide de tout laisser derrière soi et de recommencer à zéro, ou qu'on démarre un nouveau projet qui nécessite que l'on sorte de sa zone de confort? Absolument!

On doit donc se mettre dans un état de puissance et de certitude afin de vaincre ses peurs.

3. Surmonter la peur du rejet

Pour la majorité des gens, le fait de surmonter la peur du rejet représente souvent ce qui les empêche de devenir qui ils pourraient être. La peur de se faire rejeter et d'entendre ce que les autres diront d'eux.

Lors de ma recherche, j'ai dû visiter plus d'une quarantaine de chantiers avant de trouver un employeur, ce qui veut dire que je me suis fait rejeter au moins 40 fois. Et alors? Désirez-vous devenir maître de votre vie ou non?

> Le rejet n'est qu'un non;
> et un non aujourd'hui ne veut pas
> dire un non pour la vie.

Utilisez ces non afin de vous renforcer et de faire augmenter votre niveau de détermination, et plus rien ne saura vous arrêter.

4. Demander conseil aux bonnes personnes

Imaginez un instant que vous demandez à votre oncle qui est salarié et qui travaille pour la même entreprise depuis 25 ans de vous guider dans le démarrage de votre nouvelle entreprise. C'est un peu comme si j'étais allé voir un fleuriste afin de me conseiller dans mon emploi en construction.

Afin d'obtenir les meilleurs conseils qui soient, assurez-vous de trouver des personnes qualifiées et expérimentées.

> Demander conseil c'est bien,
> mais pas à n'importe qui!

5. Persévérer

Toute personne ayant accompli et réalisé un rêve d'envergure, que ce soit en tant qu'athlète professionnel, artiste de renommée internationale ou entrepreneur à succès, a dû faire face à son lot de résistances avant de pouvoir jouir des fruits de son labeur.

Cependant, ce qui fait que ces personnes sont parvenues à se rendre au sommet de leur art est qu'elles ont su persévérer et continuer de croire en leur vision malgré vents et marées.

> Patience et passion, la recette des maîtres.

6. Réviser et modifier son approche

Combien de temps de plus m'aurait-il fallu si je n'avais pas ajusté et modifié mon équipement de travail ainsi que mon approche d'un chantier à l'autre ?

C'est lorsque vous laissez votre ego vous aveugler et vous empêcher de faire les modifications requises que vous risquez le plus d'échouer.

Pensez à la compagnie pharmaceutique qui a mis en marché la fameuse pilule bleue, Viagra. Celle-ci a été d'abord conçue pour l'angine de poitrine. N'eût été de la patience, de la curiosité et des nombreux ajustements des chercheurs, plusieurs couples ne pourraient jouir d'autant de plaisirs.

> Vous avez tout à gagner en restant humble et en acceptant d'apporter les ajustements nécessaires à votre plan initial.

7. Être prêt à travailler fort

Trop souvent, les gens ont tendance à s'asseoir sur leurs lauriers et ralentissent après avoir atteint l'objectif tant désiré. Certains ont même la réputation de crouler sous la pression lorsqu'arrive le moment de remplir leurs engagements.

> Atteindre votre but est extraordinaire, mais si vous n'êtes pas prêt à y mettre les efforts supplémentaires lorsque vous serez arrivé à la terre promise, votre succès risque fort bien d'être éphémère.

***

Ces sept caractéristiques peuvent aussi bien être utilisées par un artiste qui désire lancer son premier album, par un entrepreneur qui veut démarrer un nouveau projet que par une entreprise qui désire commercialiser un nouveau produit.

Mettez-les en pratique et vous constaterez rapidement les résultats par vous-même!

Les réactions

Si vous prenez un œuf et que vous le mettez dans l'eau bouillante pendant seulement quelques minutes, il en ressortira complètement transformé et sera dur. Par ailleurs, si vous prenez une carotte et que vous la mettez dans l'eau bouillante pendant quelques minutes, elle en ressortira elle aussi complètement transformée, mais ramollie. Et si vous prenez la même eau bouillante et que vous y ajoutez une feuille de thé, cette dernière transformera complètement l'eau et lui donnera du goût, de la saveur et un arôme apaisant. Ce thé pourra alors servir pour guérir ou réconforter.

Or, les trois ingrédients ont fait face à la même situation (l'eau bouillante), mais ils ont tous trois réagi de manières différentes. Le premier, avec une coquille fragile et un intérieur mou, plongé dans la chaleur, s'est rapidement endurci. Le deuxième, à l'aspect dur et solide, plongé dans les mêmes conditions, a ramolli. Et le troisième s'est présenté au combat sans prétention, mais il a su utiliser les forces et les propriétés de l'eau bouillante pour se mettre à l'œuvre et transformer, voire améliorer, le liquide dans lequel il se trouvait.

Qu'en est-il pour vous ?

Lorsque la vie vous lance des épreuves, vous réserve des surprises ou, pire, vous met dans l'eau bouillante, êtes-vous du type œuf, carotte ou feuille de thé ?

Abordez-vous l'adversité et les épreuves auxquelles vous devez faire face avec un air dur et un pas déterminé, jusqu'au moment où la chaleur se fait sentir, que la douleur augmente et que vous vous mettez à ramollir rapidement pour en ressortir complètement dégonflé, pour ne pas dire K.-O.?

Ou alors êtes-vous plutôt du type qui fait face à l'adversité et aux épreuves avec un air indifférent et un pas nonchalant, jusqu'au moment où la chaleur se fait sentir et que vous vous mettez à devenir orgueilleux, rancunier, frustré pour en ressortir complètement endurci?

Vous savez comme moi que les gens heureux, les gagnants de la vie, les *maîtres* ne se laissent pas trop affecter ni arrêter par ces épreuves, du moins pas pour longtemps. Ils adoptent plutôt l'attitude de la feuille de thé qui transforme complètement l'environnement dans lequel elle se trouve.

> Ces gens ont pourtant les mêmes peurs et ressentent autant la douleur que ceux qui ont l'attitude de l'œuf et de la carotte. Cependant, ils refusent catégoriquement d'adopter la mentalité de victime et de se laisser abattre.

Ils ont plutôt conditionné leur mental à avoir une attitude d'auto-responsabilisation positive.

Leur vision et leurs réflexes instinctifs face à une crise ou à l'adversité leur servent de soutien inconditionnel et agissent comme un puissant mécanisme propulseur.

En refusant en tout temps de s'apitoyer sur leur sort, ils ont plutôt la mentalité du combattant et du vainqueur.

C'est ce qui explique pourquoi ils ressortent souvent d'une situation qui peut paraître très difficile sans aucune égratignure et sans avoir la mine basse. Ils ne se réjouissent pas de faire face à des épreuves, mais ils ne s'y attardent simplement pas trop.

> Ils ont vraiment acquis ce que j'appelle la fibre des maîtres.

Adhèrent-ils à des croyances ou à des convictions personnelles différentes de celles des autres types de personnalité? Absolument!

Leur système nerveux répond-il de façon qu'ils puissent automatiquement transformer les crises en possibilités? Absolument!

> Le motivateur Jim Rohn a dit: «Ne souhaitez pas que la vie devienne plus facile, souhaitez plutôt que vous puissiez devenir plus fort.»

Ne souhaitons pas que les épreuves nous épargnent, mais soyons prêts physiquement et mentalement lorsqu'elles arriveront. De cette manière, le choix et la décision ne reviendront qu'à nous. Nous ne pouvons pas toujours éviter les épreuves sur les plans familial, financier et de la santé...

> ... mais nous avons toujours le contrôle total de nos pensées, de notre attitude et de la manière dont nous choisissons de percevoir une situation.

Ma merveilleuse mère n'a pas été épargnée sur le plan de la santé ni dans la vie en général, mais elle a toujours su garder un sourire radieux et contagieux.

Elle s'est mariée à l'âge de 21 ans et a divorcé deux ans plus tard à cause de violence physique. Lorsque j'avais deux ans, mon père a disparu de ma vie.

À peine quelques années plus tard, elle a subi un accident vasculaire cérébral qui l'a plongée dans un coma, qui a laissé son côté droit entièrement paralysé et qui lui a fait perdre l'usage de la parole.

> Même si elle a perdu à jamais son autonomie, elle a toujours refusé de se voir comme une victime.

Malheureusement, plusieurs doivent faire face à une épreuve à la suite de laquelle leur vie se trouve à jamais transformée, sans avoir droit à une autre chance et sans l'ombre d'un avertissement.

Je me rappelle être assis seul à côté d'elle dans l'automobile alors que nous étions sur le point de quitter le stationnement. Soudainement, ma mère a cessé de parler et de bouger alors que le moteur continuait de tourner. Je me suis mis à klaxonner sans arrêt afin d'appeler de l'aide et, quelques minutes plus tard, l'ambulance est arrivée. Je n'étais âgé que de sept ans mais, dès cet instant, j'ai eu le pressentiment que nos vies ne seraient plus jamais pareilles.

Pourquoi une personne peut-elle vivre une telle épreuve et arriver à se relever (une façon de parler), alors qu'une autre ne retrouve plus jamais le courage ni la force de continuer de se battre?

L'une n'est en aucun cas meilleure ou plus intelligente que l'autre ; par contre, face à une crise, leurs mécanismes de réaction ne répondent pas du tout de la même façon.

Alors, comment ajuster ce mécanisme de réaction afin qu'il puisse nous être favorable ?

Regardons ensemble quelques méthodes puissantes qui vous aideront à transformer radicalement votre façon de réagir, peu importe l'environnement dans lequel vous vous trouvez.

Les questions canons

En tant qu'êtres humains, nous avons toujours le choix de décider quelles questions nous poser. En effet, après avoir fait face à une difficulté quelconque, ne serait-il pas plus facile de nous demander : «Pourquoi moi? Pourquoi maintenant?» Absolument!

Nous pourrions même nous interroger pendant longtemps au sujet du pourquoi, de la raison et de la logique derrière tout cela.

Cependant, si nous désirons rapidement sortir d'une impasse, du moins sur les plans mental et émotionnel, nous devons commencer à modifier nos questions afin de parvenir à changer radicalement notre attitude.

Trop de gens sous-estiment la puissance des questions alors qu'elles peuvent à elle seules transformer votre état d'esprit et votre attention, par conséquent, votre attitude face à une situation difficile.

Par exemple, si votre état d'esprit est à un niveau 9 sur une échelle de 10, vous n'aurez pas la même façon de réagir et d'affronter la vie que s'il se trouve à un niveau 3.

> De là l'importance de bien maîtriser l'art
> de se poser les bonnes questions.

Pendant longtemps, je me suis demandé pourquoi la vie avait fait que ma mère devienne handicapée.

Est-ce une question normale pour un enfant de sept ans, pour un adolescent ou même pour un adulte ? Absolument !

Mais est-ce que les réponses à cette question avantagent qui que ce soit ? Non !

Au contraire, tant et aussi longtemps que nous continuerons à nous poser ce genre de questions affaiblissantes, elles redirigeront notre attention vers les mauvaises pensées et nous n'aurons aucune chance de passer à l'étape suivante.

Il est peut-être facile et même naturel de nous demander : «Qu'est-ce que j'ai bien pu faire pour mériter...?»

Par contre, nous devons consciemment et rapidement mettre fin à ce mauvais réflexe afin de réorienter nos pensées vers une solution !

> La manière la plus puissante de rediriger notre attention consiste à nous poser de meilleures questions.

Ma vie a pris un tournant radical lorsque j'ai *décidé* de me poser des questions qui pouvaient me redonner des ailes au lieu de me garder cloué au sol. Des questions que j'appelle «canons».

En voici quelques-unes qui m'ont aidé à changer mon attitude à plusieurs reprises :

- S'il y avait un message positif derrière tout cela, que serait-il ?

- S'il existait une manière d'être heureux malgré cet événement, que serait-elle ?

- Comment pourrais-je quand même grandir à la suite de cet événement malheureux ?

- Quelles forces et compétences additionnelles aurai-je acquises de cet obstacle?

Ces questions ont un impact constructif sur notre manière de penser. Elles poussent notre cerveau à chercher des réponses positives et à croire qu'il existe autre chose que de la douleur. Elles nous forcent aussi à prendre conscience qu'il existe un état intérieur autre que chaotique.

« Comment pourrais-je transformer un handicap physique en une occasion pour faire une différence? » Voilà l'état qui a dominé l'esprit de ma mère pendant toutes ces années. C'est cette façon de voir la vie qui a fait d'elle la femme la plus inspirante que je connaisse!

Être capable de transformer un handicap en avantage, voilà ce qui permet à plusieurs de pouvoir être maîtres de leur vie, beau temps, mauvais temps.

Ce qui rend la puissance des questions canons excitante est que leur effet bénéfique est *instantané*. Bien que la transformation physique du monde extérieur doive attendre quelque temps avant d'être visible à l'œil nu, la transformation de l'esprit, du moral et de notre force intérieure est immédiate.

D'autant plus que ces questions nous permettent d'aller chercher de l'aide, du soutien et les outils nécessaires afin de renforcer nos « muscles émotifs » qui, sans entraînement rigoureux, ne sauraient faire face aux événements potentiellement dévastateurs.

Voici un exercice pour démarrer le processus de transformation; répondez aux questions suivantes dans un cahier.

- Quelles sont les trois questions qui vous affaiblissent, qui vous trahissent le plus et qui vous forcent à rester cloué au sol?

- Quelles seraient les trois questions canons qui pourraient vous permettre de commencer à changer votre attitude positivement?

N'y croyez plus

Y a-t-il des circonstances ou des épreuves qui peuvent avoir plus d'impact que d'autres sur nos croyances? Peut-être.

Personnellement, s'il avait fallu que je croie tout ce qu'on a dit à mon sujet, je n'aurais jamais eu le courage de démarrer quoi que ce soit.

Je suis enfant unique, mon père a quitté le foyer familial lorsque j'avais deux ans, et ma mère a paralysé et perdu l'usage de la parole lorsque j'en avais sept.

Quand venait le temps de réagir à une parole raciste ou humiliante d'un professeur, d'un entraîneur ou d'un parent à mon égard, je devais vite déterminer ce qui collait et ce qui ne collait pas, ce que j'acceptais comme vérité et ce que je refusais de croire.

> Personnellement, j'ai choisi de me bâtir
> avec les briques qu'on m'a lancées.

Lorsqu'il s'agit de pensées et de croyances limitatives qui pourraient avoir un impact négatif sur notre progrès, il n'en tient toujours qu'à nous de continuer d'y croire ou non.

Il m'aurait été facile de croire pendant longtemps que j'étais un bon à rien et que j'étais moins intelligent que la moyenne parce qu'il y avait autour de moi des évidences pour soutenir ces croyances. En voici quelques-unes qui auraient pu ébranler ma confiance personnelle pendant longtemps.

- Tout au long de mes études, j'ai été relégué à une classe pour étudiants codés, ce qui voulait dire, du moins à mon époque, que je faisais partie des élèves qui comprenaient moins vite que les autres, qui avaient des troubles de comportement ou qui étaient délinquants.

- Parce que j'avais de la difficulté à m'exprimer devant les gens, je n'ai jamais eu le courage de faire un seul exposé oral devant la classe. Nul besoin de mentionner que mes résultats scolaires en ont grandement souffert.

- À l'âge de 14 ans, une dizaine de voitures de police ont bloqué la rue où je marchais pendant que de nombreux policiers pointaient leurs armes en ma direction afin de procéder à mon arrestation et de m'envoyer dans un centre de détention juvénile. J'étais accusé de tentative de meurtre, de complot et de voies de fait graves pour avoir poignardé un homme à plusieurs reprises. (J'ai par la suite été acquitté après avoir prouvé que je n'étais qu'un témoin lors de cette altercation.)

- J'ai été expulsé et banni de façon permanente de quatre différentes institutions scolaires à cause de mes résultats médiocres et de troubles de comportement.

- J'ai dû reprendre mes cours et passer mes étés à l'école de rattrapage deux années consécutives afin de pouvoir obtenir mon diplôme d'études secondaires (le seul diplôme académique que j'aie réussi à obtenir à ce jour).

« Ne laissez jamais votre scolarité nuire à votre éducation. »
Mark Twain

C'était une évidence : les faits démontrant que les chances de réussite n'étaient pas en ma faveur étaient présents.

Cependant, mon but ici n'est pas de m'apitoyer sur mon sort, mais plutôt de démontrer à travers ces expériences personnelles qu'il aurait été possible de laisser mes insécurités et mon manque de confiance en moi devenir maîtres de ma vie.

> Mais à quoi bon garder en nous
> des croyances qui nuiront à notre
> progression ou la ralentiront ?

C'est possiblement notre seule et unique chance de vivre notre vie telle que nous la connaissons aujourd'hui. Alors, fonçons et débarrassons-nous de toutes ces croyances limitatives qui nous empêchent de prendre notre envol. Notre bonheur en dépend !

L'appétit et la peur

Il y a quelques années, mon épouse et moi habitions dans une maison où il y avait une grande galerie au premier étage. Mon épouse avait installé une mangeoire pour les oiseaux qu'elle avait suspendue à l'extérieur de la fenêtre du salon afin que nous puissions observer ces merveilleux oiseaux de l'intérieur. Il nous arrivait donc parfois de voir quelques chardonnerets jaunes venir y manger.

Nous tentions de nous rendre près de la fenêtre, dans le silence absolu, afin de ne pas les effrayer. Il nous arrivait occasionnellement d'y parvenir et d'arriver à les observer pendant quelques secondes.

Ces petits chardonnerets étaient tellement peureux que si l'un d'entre nous avait le malheur de bouger brusquement ou de laisser entendre le moindre son, ils pouvaient disparaître plusieurs jours avant que nous puissions avoir le privilège de les revoir.

Un matin, mon épouse et moi étions assis sur notre galerie extérieure en train de lire et de siroter notre café. Nos chaises étaient placées à une soixantaine de centimètres environ l'une de l'autre, et notre fenêtre de salon était située entre nous deux.

C'est à ce moment que nous avons eu une visite inattendue : j'ai aperçu deux chardonnerets se poser sur une branche d'arbre à peine à quelques mètres d'où nous étions. Et quelques minutes plus tard, ces deux magnifiques créatures sont venues s'approvisionner à la mangeoire située à quelques centimètres de nos têtes.

Émerveillé, j'ai demandé à mon épouse pourquoi ces oiseaux, qui avaient habituellement une grande peur de nous même si nous étions à l'intérieur, se trouvaient maintenant juste à côté et se risquaient à manger en notre présence.

Mon épouse m'a tout bonnement répondu :

> « C'est normal, c'est tout simplement parce qu'ils ont plus faim que peur ! »

C'était comme si je venais de recevoir une brique derrière la tête !

Vous est-il déjà arrivé de laisser vos peurs vous empêcher de foncer vers l'un de vos rêves ?

Parfois, il se peut que nous ayons trop peur pour demander notre amour en mariage, pour entreprendre de nouvelles études, pour démarrer un projet d'affaires, pour demander une augmentation de salaire ou tout simplement pour exprimer un problème qui nous dérange.

Peut-être qu'un parent ou qu'un professeur vous a déjà dit : «Ne perds pas ton temps, tu ne seras jamais capable» ou «À quoi bon t'expliquer, tu n'arriveras jamais à rien de bon de toute manière».

Si cela est le cas, il y a de fortes chances qu'un mécanisme se soit développé en vous et qui vous empêche d'avancer et de vous diriger là où votre cœur aimerait aller, de peur de vous faire ridiculiser ou rejeter.

Il est triste de voir un grand nombre de gens mettre leurs rêves et leur passion de côté par peur de déplaire... ou simplement pour prétendre être quelqu'un d'autre.

Si ce n'était pas de la peur,
ils se permettraient de vivre leurs
rêves les plus fous.

Pensons aux gens qui réussissent à un niveau supérieur ou qui accomplissent des choses vraiment extraordinaires. Ne ressentent-ils pas de peur? Bien sûr que oui! Par contre, ils ont beaucoup plus faim que peur.

Leur désir d'accomplir est si intense
qu'ils sont prêts à risquer et
à surmonter leur peur.

La question clé est donc: Comment réussir à augmenter notre appétit et l'intensité de notre désir afin qu'ils puissent surpasser notre peur?

Regardons ensemble quelques stratégies concrètes qui vous permettront vous aussi d'avoir plus faim que peur.

Le pourquoi

L'une des façons les plus puissantes qui existe pour vous aider à augmenter votre appétit et l'intensité de votre désir au point où vous sentirez littéralement votre esprit en ébullition consiste à définir votre pourquoi.

> Dès que vous établissez un objectif qui vous est cher, il est impératif de définir le vrai pourquoi.

- Pourquoi est-il important pour vous d'atteindre ce but?
- Qu'est-ce que cela changera dans votre vie?
- Comment cela vous fera-t-il sentir?
- Quels bénéfices concrets retirerez-vous une fois l'objectif réalisé?

Votre pourquoi peut aussi être une personne qui vous est chère. Prenons l'exemple du jeune père qui revient à la maison en fin de soirée avec sa fille de cinq ans.

Après avoir traversé la rue, deux agresseurs l'ont attaqué. L'un lui a pris son argent, pendant que l'autre l'a poussé par terre et s'est mis à lui donner des coups de pied.

Le père, effrayé, était couché par terre dans la position du fœtus et tentait de se protéger la tête en les suppliant d'arrêter, jusqu'à ce qu'il entende sa fille l'appeler en criant parce qu'un des deux agresseurs tentait de la blesser.

Sans aucune hésitation, le père s'est relevé, a neutralisé le premier agresseur et, en quelques secondes, est parvenu à faire fuir les deux hommes.

Alors, comment expliquer le changement radical d'état d'esprit du jeune père? À un moment, il était en position du fœtus, complètement terrifié, et en quelques secondes il est passé d'un état d'impuissance totale à un état de contrôle et de puissance.

La réponse est claire: lorsque les agresseurs s'en sont pris à sa fille, le pourquoi est soudainement devenu plus grand et plus fort que lui, il a rapidement retrouvé le courage et la force afin de remédier à la situation. N'eût été de la sécurité de sa fille, il aurait probablement continué de recevoir les coups et serait resté impuissant face à la situation.

Alors, si vous n'arrivez pas à trouver suffisamment d'inspiration pour créer les changements nécessaires dans votre vie, tâchez de découvrir une raison plus grande que vous qui saura vous inspirer (comme un enfant, un parent, un amour ou une cause qui vous tient vraiment à cœur).

Lorsque je travaille avec des dirigeants afin de les aider à franchir une étape importante dans leur cheminement personnel, je leur explique que leur pourquoi doit être si fort et si personnel qu'il doit littéralement me faire pleurer.

> Si leur pourquoi est trop faible, je refuse catégoriquement d'y investir mon temps.

Pourquoi? Parce que c'est ce qui vous soutiendra une fois rendu à mi-chemin, c'est ce qui vous permettra de persévérer quand vous aurez le goût de tout abandonner face à un obstacle.

> *Le pourquoi derrière le rêve vous donnera le carburant nécessaire durant les périodes difficiles.*

S'il n'y a pas suffisamment de carburant dans votre réservoir du rêve, vous ne vous rendrez jamais à destination.

Alors, pourquoi passer tant de temps à construire un véhicule qui est supposé nous emmener du point A au point B si nous ne savons pas le type d'énergie requise pour le faire avancer?

Vous êtes-vous déjà demandé pourquoi certaines personnes arrivent à accomplir quelque chose d'extraordinaire alors que vous savez qu'elles ne sont ni plus intelligentes ni plus qualifiées que vous?

Pourquoi est-ce que certains arrivent à atteindre des sommets qu'on croyait inatteignables, alors que d'autres peinent à trouver l'énergie nécessaire afin de sortir du lit chaque matin?

Eh bien, il y a une ligne directrice que les grands de ce monde empruntent afin d'obtenir les résultats qui les rendent si extraordinaires. Peu importe le domaine dans lequel ils évoluent, peu importe le pays dans lequel ils vivent et peu importe l'époque dans laquelle ils ont vécu, ces personnes qui ont accompli quelque chose d'extraordinaire, sur les plans social, mondial, politique ou familial, ont su définir non seulement le quoi et le comment, mais aussi le pourquoi.

Regardons l'illustration suivante :

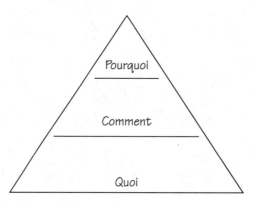

Cette pyramide nous indique
les trois forces qui influencent la plupart
des gens à faire ce qu'ils font.

À la base se situe le quoi. En effet, presque toutes les personnes dans notre société connaissent leur quoi ; elles savent toujours ce qu'elles font. Demandez-leur et elles n'hésiteront pas à vous dire ce qu'elles font et ce qu'elles sont capables de faire.

Puis se situe le comment. La personne qui obtient plus souvent qu'autrement des résultats au-dessus de la moyenne sait toujours comment elle fait ce qu'elle fait. Demandez-lui et elle saura vous expliquer tous les procédés qu'elle a appris et comment elle les applique afin d'avoir des résultats.

Dans le haut de la pyramide se trouvent très peu de gens. Ordinairement, il n'y a que l'élite, les gens qui sont constamment au sommet de leur art et qui arrivent à générer jusqu'à 80 % des résultats de l'ensemble. Ces gens savent exactement pourquoi ils font ce qu'ils font !

Plusieurs connaissent le quoi et le comment,
mais très peu connaissent le pourquoi.

Ceux qui maîtrisent le comment auront toujours un emploi. Cependant, ils travailleront toujours pour ceux qui maîtrisent le pourquoi!

Voici un exercice pour faire augmenter votre appétit et accéder à votre rêve. Notez vos réponses dans un cahier.

- Nommez deux des rêves les plus puissants qui vous habitent présentement.
- Définissez et élaborez le pourquoi pour chacun de vos objectifs.
- Indiquez les détails de votre premier pourquoi et rattachez-y le plus d'émotions possible.
- Indiquez les détails de votre second pourquoi et rattachez-y le plus d'émotions possible.

Rappelez-vous que c'est la force et la clarté de votre pourquoi qui vous permettront de passer au travers de n'importe quelle épreuve.

Un *degré de différence*

Nul besoin de quadrupler l'intensité de vos désirs lorsqu'il s'agit de l'atteinte de vos rêves les plus chers. Souvent, seul un léger avantage peut vous permettre d'y arriver... Ce qui me rappelle l'histoire des deux amis qui étaient allés faire du camping sauvage.

Tout se passait bien, jusqu'à ce que l'un aperçoive un ours noir, à une dizaine de mètres, qui se dirigeait vers eux.

L'un demande : «Que devrions-nous faire ?» L'autre lui répond : «Je ne sais pas pour toi mais moi, je cours» et, ce faisant, il commence à courir. Le premier lui réplique, d'un ton moqueur : «Crois-tu sincèrement être capable de courir plus vite qu'un ours ?» Et le second lui répond tout en continuant de courir : «Jamais de la vie, mais je sais que je n'ai qu'à courir plus vite que toi !»

Le second ami n'avait pas tort : seul un léger avantage suffisait.

Pensons également à de l'eau chaude et à de l'eau bouillante. La seule chose qui les distingue n'est qu'un seul petit degré ! À 99 °C, vous n'avez que de l'eau chaude alors que si vous y ajoutez un seul degré, vous venez de créer une vapeur suffisamment puissante pour déplacer une locomotive ou alimenter une ville entière !

Quel est le degré manquant qui pourrait transformer radicalement votre vie ?

Quelle est la légère modification d'attitude ou de comportement qui pourrait faire toute la différence?

Peu importe ce que les gens autour de vous tenteront de vous faire croire, il est essentiel de passer à l'action puisqu'il n'y a que vous qui puissiez limiter l'ampleur de votre succès.

Vous possédez des talents uniques, et il n'y a que vous qui puissiez faire ce que vous désirez faire de la façon que vous désirez le faire.

Votre moment est venu, alors foncez et donnez-y tout ce que vous avez!

La prise de possession

L'une des raisons pour laquelle nous avons parfois l'impression de stagner est que nous continuons trop souvent de faire les mêmes choses semaine après semaine, sans prendre le temps d'observer dans quelle direction nous nous dirigeons.

Lorsque nous n'avons pas de direction claire ni de destination stimulante, notre flamme intérieure risque de s'amenuiser. Ce qui peut nous donner l'impression de tourner en rond et de nous enlever toute envie de faire des efforts.

Premièrement, pour réactiver notre flamme et nous sortir d'une impasse, il faut faire un inventaire complet de tout ce que nous avons accompli de positif jusqu'à présent. Il est important de tout noter, que ce soit sur le plan scolaire, relationnel, de la carrière ou des loisirs.

Deuxièmement, il faut prendre le temps de constater et de réaliser ce que nous voulions accomplir alors que, pour une raison ou une autre, rien ne s'est concrétisé.

Évidemment, le but de cet exercice n'est pas de nous flageller ni de commencer à nous apitoyer sur notre sort, mais plutôt de faire une mise au point et de dresser la liste de ce qui a été réalisé et de ce qui ne l'a pas encore été.

Troisièmement, nous devons passer à l'étape que j'appelle la prise de possession.

C'est là où nous devons prendre le temps
de séparer ce qui nous appartient
de ce qui ne nous appartient pas.

Si vous avez de la difficulté à être suffisamment stimulé par vos rêves et objectifs, c'est que ce ne sont peut-être pas les vôtres.

Si vous retournez à la première étape et que vous trouvez quelques objectifs qui se sont réalisés mais qui vous ont laissé plutôt vide ou qui ne vous ont pas rendu fier, c'est qu'ils ne vous appartenaient pas.

Parfois, nous ne réalisons pas que ce que nous essayons d'accomplir n'est pas notre rêve, mais plutôt celui d'un parent, d'un conjoint ou d'un patron.

La manière la plus efficace de déterminer si un rêve est vraiment le vôtre est de remarquer s'il revient continuellement, peu importe les circonstances dans lesquelles vous vous retrouvez.

Vous avez beau essayer de l'étouffer et de vous dire que ce n'est pas pour vous ou que cela ne pourrait pas se manifester, tôt ou tard, votre rêve refera surface sous une forme ou sous une autre. À ce moment, c'est qu'il vous appartient!

Maintenant, prenez le temps de retourner à la deuxième étape et déterminez les rêves qui ne se sont pas réalisés mais qui ne vous appartenaient pas.

Cette étape est essentielle parce qu'il y a de fortes chances que vous vous soyez déjà attaché à un but ou à un projet quelconque en lui accordant beaucoup d'importance alors qu'il ne vous appartenait pas. C'est ce qui peut expliquer pourquoi vous avez manqué d'énergie à mi-chemin et que vous ne pouviez trouver la détermination requise pour mener cet objectif à terme.

Voilà maintenant l'occasion d'alléger le poids de la culpabilité et le sentiment de ne pas avoir été à la hauteur face à un ou à plusieurs de ces projets. Profitez-en et libérez-vous!

La cible

Vous êtes-vous libéré de ce qui ne vous appartenait pas? Avez-vous pris le temps de prioriser vos prochaines cibles?

Maintenant que vous avez pris le temps de clarifier ce qui était à vous et ce qui ne l'était pas, il est temps de planter votre drapeau là où vous désirez aller et là où votre cœur a envie de vous diriger.

> Sans direction ni destination, il vous sera impossible de combler ce vide intérieur.

Dorénavant, il sera important de penser à la fin dès le début... de commencer par la fin, quoi!

Cela me rappelle l'histoire de l'homme aux yeux bandés.

Si on emmène un homme dans une salle blanche dans laquelle se trouve une cible sur un mur et qu'on lui donne un arc et une flèche afin qu'il puisse atteindre la cible, aurait-il une chance de l'atteindre? Absolument!

Et si on lui bande les yeux, aurait-il encore une chance?

Maintenant, imaginez qu'on le tourne sur lui-même une vingtaine de fois jusqu'à ce qu'il soit complètement désorienté.

A-t-il encore une chance d'atteindre la cible?

Prenons maintenant un autre homme qu'on emmène dans une salle blanche à qui nous donnons les mêmes accessoires, soit un arc et une flèche. Cependant, cet homme n'a pas à se bander les yeux; il pourra donc garder les yeux ouverts tout au long de l'exercice. Aussi, il n'y aura aucune cible sur le mur.

À votre avis, même si le second homme a les yeux grands ouverts, quelles sont ses chances d'atteindre la cible?

Zéro, puisqu'il n'a aucune cible à atteindre.

Le premier homme aux yeux bandés n'avait peut-être pas beaucoup de chances d'atteindre la cible, mais au moins il en avait une!

Comment pouvons-nous espérer atteindre une destination lorsque nous n'en avons pas?

Sans destination, nul ne peut devenir maître de sa vie.

La combinaison

Plusieurs parviennent à réaliser quelques exploits sans pour autant savoir comment ils y sont vraiment parvenus. Et quoi de plus triste que d'obtenir un résultat sans pouvoir le refaire ni le reproduire sur demande.

Voilà ce qui explique que certains ont un mois ou une année exceptionnel, alors que le mois ou l'année qui suit est médiocre.

Si nous n'arrivons pas à mettre le doigt sur l'ingrédient qui fait la différence, nous devrons toujours dépendre de la chance et des coïncidences.

Vous est-il déjà arrivé de tenter de répondre à une question ou de résoudre une énigme tout en essayant de deviner l'attrape?

Vous vous rappelez sans doute avoir tenté d'en résoudre sans succès alors que dès que la personne retournait la carte et vous donnait la réponse, vous ne pouviez croire combien facile et évident cela était... une fois que vous la connaissiez!

L'une des métaphores qui suscite toujours plusieurs rires au cours de mes séminaires et conférences est celle du cadenas à combinaison. Vous savez, ce fameux cadenas à roulette qu'on utilise à l'école ou au gym afin de verrouiller son casier. Voici comment le tout se déroule.

Je me promène dans la foule afin de trouver une personne dynamique à qui remettre ce fameux cadenas. Je lui demande de l'ouvrir sans lui donner d'autre indication et je retourne sur la scène.

Après quelques minutes, je m'informe auprès de la personne pour savoir si elle a réussi à ouvrir le cadenas et, chaque fois, on me répond : «Ça ne va pas très bien.» Je demande donc aux gens présents s'ils pensent que la participante travaille suffisamment fort. Et, chaque fois, tout le monde rigole en répondant : «Non !»

J'explique alors que si nous n'atteignons pas souvent les résultats que nous désirons, c'est que nous ne mettons pas toujours les efforts requis. Je demande donc à la participante de poursuivre sa tâche, mais cette fois-ci en y mettant un peu plus d'efforts.

Je continue mon discours et, quelques minutes plus tard, je retourne la voir : «Est-ce que ça avance ?», et elle me répond : «Ça n'avance pas comme je veux.»

Je demande donc aux gens dans la salle si cela leur arrive parfois de s'acharner sans succès sur un projet quelconque alors que dès qu'ils se mettent à changer leur attitude et commencent à penser positivement, les résultats semblent se transformer. Et ils me répondent un gros «oui».

Alors, je me rends voir la participante et je lui explique qu'elle n'a peut-être pas la bonne attitude et qu'elle doit continuer d'essayer, mais cette fois-ci en pensant plus positivement. Les gens rient un peu et je retourne sur la scène afin de poursuivre mon discours... jusqu'à ma troisième intervention.

Évidemment, la participante n'a toujours pas progressé. Je demande donc aux gens si cela leur arrive d'obtenir des résultats plus rapidement lorsqu'ils travaillent en équipe plutôt que seuls. Ils n'hésitent pas à me répondre :

> *« Oui, la participante doit accepter l'aide des autres et avoir un esprit d'équipe. »*

C'est à ce moment que je demande l'intervention de quelques personnes afin qu'elles aident leur nouvelle coéquipière.

Après quelques minutes, je reviens les voir et leur demande s'ils ont enfin réussi à obtenir le résultat désiré. Mais la réponse reste la même : « Non, ça ne va toujours pas comme on voudrait. »

Enfin, je leur dis d'essayer les chiffres 32, 18 et 25. Je poursuis mon discours... jusqu'à ce que j'entende le fameux déclic.

Le public se met alors à applaudir l'équipe de participants qui souvent se penche vers l'avant en guise de remerciement. Lorsque je retourne récupérer le cadenas, j'élabore davantage sur l'importance de bien connaître la combinaison et les stratégies qui nous permettent de créer les résultats qu'on recherche.

Et je termine toujours cet exercice en demandant aux gens :

> « Maintenant que la participante connaît la combinaison, combien de fois sera-t-elle capable de reproduire le résultat désiré ? »

Et tout le monde s'exclame : « Chaque fois, il n'y a plus de limites. » En effet, lorsqu'on connaît la combinaison ou la stratégie, il n'y a plus de limites.

Voilà l'importance de bien connaître les techniques et les stratégies utilisées afin de créer tout ce qu'on désire et de pouvoir le reproduire sur demande et au besoin.

Suis-je en train de vous dire que vous pouvez à tout jamais cesser de lancer des pièces de monnaie dans la fontaine magique par-dessus votre épaule afin d'attirer la chance pour réaliser votre souhait ? Absolument !

Parce qu'une fois que vous connaissez la combinaison, vous possédez la méthode qui vous permettra de ne plus jamais dépendre de la chance mais, au contraire, de reproduire n'importe quel résultat sur demande.

La formule du 110 %

Voici une formule que j'ai créée afin d'accélérer les résultats désirés :

> **Formule du 110 % :**
> $$(DI \times IR) + C = NT\,\%$$

Dans cette formule, le «D» représente le *degré* et le «I» votre *insatisfaction* face à une situation ou à un obstacle qui vous empêche d'être, de faire ou d'avoir ce que vous désirez. Le second «I» signifie l'*intensité* et le «R», votre *rêve*. Le «C» représente *comment* vous arriverez à atteindre votre rêve. Enfin, le «N» signifie le *niveau* et le «T», la *transformation*.

Chacune des trois composantes de l'équation a une valeur maximale de 10 ; le résultat total ne peut donc pas dépasser 110 %.

Le scénario parfait ressemblerait donc à :

> $$(10 \times 10) + 10 = 110\,\%$$

Cette formule est extrêmement utile lorsque j'aide mes clients en entreprise ou en consultation privée.

Je n'ai qu'à y insérer chacune des composantes de la personne et, en quelques secondes, elle peut savoir où investir ses efforts.

Cette formule expose non seulement l'état intérieur de la personne, mais révèle aussi les méthodes qu'elle compte utiliser afin de créer la transformation désirée.

Il est donc facile de connaître le niveau de transformation auquel chaque personne peut s'attendre ainsi que la rapidité à laquelle elle pourra y arriver. L'inverse est également vrai.

> Il est important de noter que votre degré d'insatisfaction sera multiplié et non additionné à l'intensité de votre rêve.

Je m'explique : vous rêvez ou désirez depuis longtemps perdre une dizaine de kilos et l'intensité de votre rêve est maintenant rendue à un niveau maximal de 10. Toutefois, votre degré d'insatisfaction face à votre santé actuelle, à votre manque d'énergie ou à votre apparence physique se situe au niveau 4. Même si votre comment (diète, programme d'exercices) se trouve à un niveau 10, votre niveau de transformation ne totaliserait que 50 %.

$$(10 \times 4) + 10 = 50\,\%$$

Il est donc essentiel de réaliser que l'endroit où vous devez investir davantage d'énergie est dans l'augmentation de votre degré d'insatisfaction, non dans les méthodes et dans le comment.

Plusieurs se demandent pourquoi ils arrivent à définir ou à établir un comment extraordinaire, et non à mener leur rêve ou leur promesse à terme. C'est qu'ils ne focalisent tout simplement pas sur le bon endroit !

Comme vous le savez, nous avons tendance à faire la majorité de ce que nous faisons pour une des deux raisons suivantes : soit pour obtenir plus de plaisir (là où proviennent la plupart de nos désirs), soit pour éviter la douleur.

Alors, tâchez de garder en tête les deux composantes qui auront le plus grand impact sur le niveau et sur la rapidité de la transformation que vous désirez obtenir!

Pas d'excuse !

Aujourd'hui, il est relativement facile de mettre à jour ses compétences et ses connaissances. Pour à peine quelques dollars, il est possible de trouver un accès à Internet dans un café, un resto, une librairie, une école ou chez un ami afin de lire ou de visionner des vidéos sur les aptitudes que vous désirez acquérir.

Prenez le temps de chercher les formations et les conférences de perfectionnement qui se donnent dans votre région (ou à distance par Internet) et inscrivez-vous à quelques-unes d'entre elles. J'ai fondé AcadémiedesMaîtres.com afin de permettre aux francophones des quatre coins du monde de se connecter et de perfectionner leurs aptitudes à distance.

Pour ce qui est des livres, il en existe des centaines sur les sujets qui vous intéressent en version papier et en version numérique. Et si vous n'aimez pas lire, vous trouverez une multitude de livres en format audio.

> Il m'arrive souvent de transformer
> une à deux heures de route en occasion
> pour apprendre et grandir.

Imaginez que vous preniez le temps d'améliorer vos connaissances chaque jour en allant et en revenant du travail ou de l'école.

Il y aurait très peu de gens qui arriveraient à vous dépasser dans la file d'attente.

> Avec un peu de discipline, vous pourriez planifier quelques heures chaque semaine afin de lire ou d'écouter des programmes de formation à distance.

C'est ce qui m'a permis d'améliorer mon vocabulaire, d'apprendre une nouvelle langue, d'augmenter ma confiance et de changer ma façon de penser. Je profite toujours de mon temps en voiture pour écouter des livres et des formations audio.

Connaissez-vous quelqu'un qui regarde la télévision au moins deux à trois heures par semaine? Vous me dites que vous connaissez personnellement quelqu'un qui la regarde parfois de deux à trois heures par jour?

Est-ce la même personne qui vous regarde droit dans les yeux chaque matin lorsque vous êtes debout devant le miroir? Bon, allez, il faut bien rigoler un peu!

Personnellement, cela fait maintenant plus de 15 ans que je n'ai ni câble ni antenne de télévision chez moi. Certains de mes amis sont tout simplement renversés et me demandent: «Tu es en train de me dire que tu n'as jamais regardé telle ou telle émission de télévision?» Non. «Ni la nouvelle émission de téléréalité?» Non plus. «Et les nouvelles, la guerre en Irak, les tremblements de terre, les tsunamis, les commissions d'enquête, la dame qui a perdu sa perruche?» Non, non et non.

Est-ce que j'ai manqué des événements, des nouvelles, des potins et possiblement beaucoup de contenu très divertissant durant toutes ces années? Sûrement!

Est-ce que cela m'a désavantagé d'une façon quelconque? Non!

Je n'ai rien contre le fait de regarder la télévision; je préfère simplement louer des films à l'occasion et les regarder en famille sur notre cinéma maison.

Je trouve cependant déplorable que certaines personnes se plaignent d'un manque de compétences alors que si elles coupaient quelques heures de télévision par semaine, elles sauraient trouver suffisamment de temps pour revoir leur manière de penser et, par le fait même, transformer radicalement leur vie.

> Si nous continuons de faire les mêmes choses que nous avons faites jusqu'à présent, nous continuerons d'obtenir les mêmes résultats.

Il n'y a rien de mal à payer le câblodistributeur chaque mois afin de pouvoir regarder tous ces acteurs, animateurs et athlètes vivre leurs rêves. Cependant, il est important d'établir des priorités entre le temps que vous passez à regarder les autres vivre leurs rêves et celui que vous investissez afin de bâtir le vôtre.

Être et devenir

Voici une autre formule que j'utilise lors de mes webinaires et séminaires sur l'importance d'*être* et de *devenir* la meilleure version possible de soi-même.

$$(V \times F) = A < D$$

Ici, le «V» représente *vouloir* et le «F», *faire*. Le «A» signifie *avoir* et le «D», *devenir*.

Lorsque nous multiplions notre vouloir avec notre faire, cela nous donne automatiquement notre «avoir.»

Cependant, nous devons réaliser que ce que nous *devenons* durant notre cheminement doit toujours être *plus grand* et plus important que ce que nous obtenons.

> Autrement dit, vous êtes
> plus que vos possessions!

Il vous est sûrement déjà arrivé d'entendre des histoires d'entrepreneurs qui, après avoir perdu leur fortune, sont malheureusement restés cloués au sol pour ne plus jamais se relever.

Le problème est qu'ils s'identifient trop souvent à ce qu'ils possèdent. Dès qu'on leur retire leurs possessions, cela a le même effet que si on venait de leur retirer la somme totale de ce qu'ils étaient.

Alors que d'autres peuvent perdre leur fortune mais, par la suite, arriver à rebâtir et parfois même à surpasser ce qu'ils avaient perdu. Ces gens racontent souvent que personne ne saurait dorénavant leur enlever ce qu'ils ont appris en accomplissant leur rêve, encore moins ce qu'ils sont devenus.

> Nous devons donc bâtir l'être avant l'avoir, sinon l'avoir risque d'être temporaire.

Le phénomène des gagnants à la loterie qui, du jour au lende-main, deviennent multimillionnaires et qui, en l'espace d'une ou deux années, parviennent à tout perdre est très répandu.

> Il faut s'y attendre, puisque l'avoir explose alors que l'être reste pareil.

Si nous ne possédons pas le caractère, la persévérance, l'attitude et les connaissances pour soutenir cette augmentation rapide de l'avoir, ce n'est qu'une question de temps avant que l'avoir rattrape l'être.

L'inverse est aussi vrai. S'il y a une explosion de l'être, ce n'est qu'une question de temps avant que l'avoir le rattrape.

Évidemment, quand je dis «l'avoir», cela peut bien sûr s'appli-quer à vos finances, mais cela peut aussi se traduire en avoir addi-tionnel sur les plans amoureux, relationnel et du bonheur.

> Sachez cependant que ce qui vous a amené jusqu'ici ne suffira pas à vous amener là où vous désirez aller.

Le meilleur investissement

Si vous ne prenez pas le temps d'investir en vous-même, qui le fera pour vous?

J'ai obtenu mon premier emploi dans la vente à Vancouver, en Colombie-Britannique.

> J'étais âgé de 23 ans, je commençais à peine à apprendre l'anglais et je venais tout juste de devenir papa.

Mon travail consistait à cogner à plus d'une centaine de portes par jour afin de présenter et de vendre à de jeunes parents un ensemble d'encyclopédies d'une valeur de 2000 $. Je m'en suis bien tiré, car je suis devenu le premier vendeur du pays.

C'est à mes débuts avec cette compagnie que mon nouveau patron, M. Parker, m'a dit une phrase qui allait changer ma vie.

Permettez-moi de vous mettre en contexte. M. Parker était un homme de race noire qui était non seulement un fervent croyant du développement et du perfectionnement personnel, mais il prêchait aussi par l'exemple.

> Il était parvenu à bâtir un empire dans le domaine de la vente.

Puisque je n'ai jamais connu mon père ni de membres de ma famille de race noire, cela m'était particulier d'avoir cet homme comme nouveau mentor. D'autant plus que notre manière de penser et nos croyances sur l'argent n'auraient pu être plus différentes puisqu'il était riche et couronné de succès, alors que ma mère et moi avions dû dépendre de l'aide sociale pendant toutes ces années. Nul besoin de vous dire que j'étais tout ouïe!

C'est lors d'un entretien privé que M. Parker m'a dit: «*Stephan, no matter what, make sure that you always invest more on yourself and on your personal growth than you do on your job or on your work!*»

> «Stephan, assure-toi de toujours investir davantage sur toi-même et sur ta croissance personnelle que sur ton emploi ou sur ton travail.»

Puisqu'il était mon patron, il n'avait pas intérêt à me dire de consacrer plus d'énergie sur mon perfectionnement que sur mon travail, mais pour lui, donner était aussi important que recevoir. En effet, cette phrase a eu un impact majeur sur ma vie.

J'ai depuis investi au-delà de 100 000 $ dans ma croissance personnelle que ce soit pour des cours, des livres, des formations et des séminaires. Et je peux vous dire que les bénéfices ont de loin surpassé les coûts!

Si vous me disiez que j'allais devoir sauter quelques repas et risquer d'avoir faim physiquement pendant une journée ou deux afin de pouvoir m'acheter un livre, un CD ou un DVD de perfectionnement personnel, je n'hésiterais pas une seconde!

Je préfère de loin la possibilité de nourrir mon mental et mon esprit pendant les mois et les années à venir que la possibilité de nourrir mon corps pendant une journée.

Aujourd'hui, je suis tellement reconnaissant pour ce que M. Parker m'a enseigné. Les outils que j'ai obtenus au cours des années m'ont permis de transformer radicalement ma vie. Ils m'ont aussi permis de me relever rapidement et de ne pas rester cloué au sol lors de périodes difficiles.

Savoir recevoir

Maintenant que vous avez quelques outils de transformation addition-nels dans votre coffre, il est important de les utiliser régulièrement.

Ce qui me rappelle l'histoire de l'inondation.

Une inondation fut annoncée dans un petit village où habitaient plusieurs retraités. Dès lors, plusieurs d'entre eux se mirent à évacuer les lieux.

Mais l'un d'eux, un croyant, avait une foi inébranlable. Alors lors-qu'un de ses amis arriva en courant pour le prévenir et l'encourager à quitter la ville, le croyant lui suggéra d'aller s'occuper des gens qui avaient vraiment besoin de son aide puisque lui savait que sa foi le sauverait.

Quelques minutes plus tard, un de ses anciens collègues de tra-vail vint le chercher en auto mais il lui répondit la même chose, soit d'aller s'occuper des gens du village puisque sa foi le sauverait !

Il y avait maintenant au-dessus de soixante centimètres d'eau dans la région où le croyant habitait. Les sirènes d'alarme du village com-mencèrent à se faire entendre et l'eau continua de monter.

Quelques instants plus tard, un autobus arriva dans la rue du croyant afin d'emmener tous les habitants qui n'avaient pas encore été évacués. L'un des passagers cria : «Dépêchez-vous, monsieur, nous sommes le dernier autobus à quitter le village.» Mais le croyant s'empressa de lui faire signe d'aller chercher les autres.

L'eau était maintenant rendue au deuxième étage des maisons. Le croyant, lui, avait dû se rendre au dernier étage afin d'éviter d'être submergé par toute cette eau.

Quelques instants plus tard, il aperçut un bateau avec des policiers qui lui faisaient signe de sauter et de nager jusqu'à eux. Mais le croyant, toujours fidèle à lui-même, leur cria de ne pas s'en faire puisque son Dieu honorerait sa foi.

Et l'eau continua de monter jusqu'au grenier. Il était rendu sur son toit lorsqu'il entendit le bruit d'un hélicoptère militaire se diriger vers lui. Un soldat prit le micro et lui indiqua comment s'agripper à l'échelle afin qu'il puisse monter à bord.

Mais, à la grande surprise du soldat, le croyant lui dit: «Allez voir au village et ne vous en faites surtout pas pour moi...

... mon Dieu ne m'abandonnera jamais. »

Malheureusement, l'eau continua de monter et eut finalement raison du croyant. Quelque temps après sa mort, le croyant arriva au ciel et attendit son tour avec impatience afin d'avoir une conversation avec son Dieu.

Une fois son tour arrivé, il demanda à Dieu pourquoi il n'avait pas été sauvé malgré sa foi exemplaire. Comment avait-il pu être ignoré après avoir prêché la parole et témoigné sa foi plus que quiconque dans le village?

À sa grande surprise, Dieu lui répondit: «Pauvre idiot, bien sûr que j'ai été impressionné par ta foi, voilà pourquoi je t'ai envoyé un ami, un collègue de travail, un autobus, un bateau et un hélicoptère!»

> Prier c'est bien,
> mais il est important de savoir recevoir.

Il vous faut donc rester attentif et utiliser tous les cadeaux et tous les outils qui sont lancés dans votre direction. Plus vite vous prendrez avantage des bouées, des bateaux et des hélicoptères qui vous sont offerts, plus vite vous développerez vos propres convictions face à l'impact que ces outils peuvent avoir dans votre vie. Et lorsque ces convictions s'enfonceront profondément, telles les racines d'un chêne dans la terre, il n'y aura ni vent ni marée qui saura vous ébranler.

Si les concepts de ce livre sont nouveaux pour vous, rappelez-vous que pour obtenir des résultats que vous n'avez jamais eus, vous devrez faire des choses que vous n'avez jamais faites. Par conséquent, vous deviendrez aussi la personne que vous n'avez jamais encore été.

Cela peut vous sembler un peu plus ardu au départ, mais vous constaterez rapidement que plus vous avancerez vers votre destination, plus cela deviendra une seconde nature.

> Comme un avion, vous devrez
> puiser davantage dans votre réservoir
> au moment du décollage.

D'ailleurs, si vous désirez maîtriser ces nouvelles stratégies, vous devrez vous aussi passer par quatre phases d'apprentissage.

Les quatre phases d'apprentissage

Vous avez déjà vu quelqu'un qui possédait un talent ou une compétence quelconque qu'il maîtrisait mieux que quiconque? Eh bien, peu importe ce que c'était, cette personne est passée par quatre phases d'apprentissage.

Lorsque vous tentez d'acquérir de nouvelles compétences, il est important de ne pas vous décourager et de réaliser que sans pratique, personne ne parvient à l'excellence.

Alors, quelles sont ces quatre phases?

La première est lorsque vous êtes *inconsciemment incompétent*. Vous vous rappelez avoir déjà fait un sport, de la musique ou une activité en pensant que vous n'étiez pas si mal, jusqu'à ce que quelqu'un remarque votre manque d'habileté ou que vous le constatiez par vous-même en voyant quelqu'un d'autre le faire beaucoup plus aisément que vous?

Eh bien, c'est à ce moment que vous êtes passé de la première phase à la deuxième : vous êtes rapidement devenu *consciemment incompétent*. Bien que cette deuxième phase soit souvent plus difficile que la première, étant donné que vous êtes maintenant conscient qu'il vous reste encore du chemin à faire avant de maîtriser votre art, il importe de persévérer et de continuer de pratiquer jusqu'à ce que vous atteigniez la troisième phase.

Imaginez que vous jouez du piano et que vous pratiquez quotidiennement. Après plusieurs semaines, vous arriverez au point où vous serez compétent. Cependant, cela exigera de vous encore beaucoup de concentration afin de bien réussir. Vous serez donc rendu *consciemment compétent.*

Lorsque vous atteignez cette troisième phase, vous avez fait beaucoup de progrès, mais vous devez encore vous concentrer uniquement sur ce que vous faites sans trop de distractions... jusqu'à ce que vous atteigniez la quatrième et dernière phase d'apprentissage.

Les quatre phases d'apprentissage

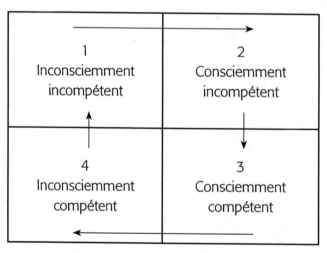

À ce stade, il n'est pas rare de penser que vous avez toujours maîtrisé ces compétences et qu'elles ont toujours fait partie de vous. Si vous jouez du piano, vous pouvez maintenant jouer une mélodie au complet sans jamais ouvrir les yeux. Vos doigts savent exactement où se trouve chaque note sans même avoir à y penser. Eh bien, vous êtes maintenant rendu *inconsciemment compétent.*

Si je vous disais que j'avais l'intention d'apprendre une nouvelle langue en suivant un cours intensif d'une fin de semaine? Vous me diriez que c'est un bon départ, mais pourrais-je en une seule fin de semaine maîtriser une nouvelle langue? Eh bien, non!

Peu importe le domaine dans lequel nous évoluons, nul n'arrivera au sommet sans pratique ni persévérance.

Le doute

Il serait facile de se laisser distraire par le monde extérieur et de continuer de chercher des réponses dans tout ce qu'on voit et tout ce qu'on entend jour après jour.

> Cependant, si nous cherchons un sens
> à notre vie, nous le trouverons difficilement
> en nous fiant à nos cinq sens.

Lorsque nous désirons faire une mise au point et que nous décidons de foncer vers une nouvelle direction, nous devons absolument prendre le temps de nous arrêter et de plonger dans notre intérieur.

Seul notre cœur doit suffire pour éclairer le trajet que nous souhaitons tracer.

> « Malheur à celui qui cherche au loin
> ce qu'il ne voit pas tout près de lui !
> Il est comme un homme plongé dans l'eau
> qui se laisse mourir de soif. »
> Vieux proverbe

Tant et aussi longtemps que nous baserons nos décisions seulement sur ce que nos cinq sens nous communiquent, nous ne ferons que gratter la surface.

> La vraie magie de la vie
> se passe en profondeur.

Alors, attachez votre masque et votre bonbonne d'oxygène, c'est maintenant le temps de plonger !

Comme vous avez pu le constater, les désirs qui viennent du plus profond de votre intérieur sont souvent ceux qui vous permettent de grandir, d'être heureux et de vivre ce que plusieurs appellent leur destin.

> Nous devons voir ce que nous désirons
> clairement lorsque nos yeux sont
> fermés avant de pouvoir le voir
> avec nos yeux ouverts.

Voici maintenant l'occasion de déterminer la direction à prendre aujourd'hui afin d'arriver à votre destination de rêve.

Prenez du temps pour focaliser sur un objectif qui vous tient à cœur et tâchez de croire et de comprendre que s'il y a été déposé, c'est qu'il n'est pas arrivé seul. Il est venu avec toutes les instructions et les ressources nécessaires afin qu'il puisse se réaliser dans *votre* vie et vous aider à vous épanouir pleinement.

> Ne perdez pas un seul instant
> à vous dire que c'est impossible ou
> que cela ne se réalisera pas.

L'une des clés essentielles afin de réussir quoi que ce soit d'envergure dans votre vie consiste à être capable de bannir et d'enrayer tout ce qui touche de près ou de loin à l'impossibilité.

Votre plus grand ennemi aujourd'hui n'est ni votre conjoint, ni votre patron et encore moins vos parents.

> L'élément le plus puissant et le plus subtil qui puisse vous empêcher d'accomplir quoi que ce soit est le doute !

Gardez toujours un œil ouvert face au doute et restez alerte car dès qu'il est implanté dans votre cerveau, il n'a pas à se rendre à votre cœur. Il possède déjà toute la puissance requise pour créer un état de paralysie totale face à ce que vous désirez améliorer dans votre vie.

Et la technique la plus efficace pour vaincre le doute consiste à passer à l'action immédiatement.

> Le doute vous sortira toujours de l'action, et l'action vous sortira toujours du doute.

Lorsque vous sentirez la présence du doute, n'ayez aucune retenue. Agissez puissamment.

Soit... soit...

Quand vient le temps de prendre une décision afin de chasser le doute ou d'accéder au prochain chapitre de notre vie, il n'existe que deux possibilités.

Avez-vous déjà eu envie de vous inscrire à un gym afin de vous mettre en forme? Peut-être même avez-vous pensé en parler à un ami qui habitait dans la même région que vous pour que vous puissiez vous encourager mutuellement, vous soutenir et vous entraider en allant vous entraîner ensemble régulièrement.

> Connaissez-vous des gens qui essaient de faire plein de choses sans jamais rien accomplir?

Justement, ils ne font qu'essayer! Regardez droit devant vous; maintenant, essayez de fermer les yeux. Êtes-vous parvenu à les fermer? Absolument! Vous ne pouvez essayer de fermer les yeux: soit vous les fermez, soit vous ne les fermez pas. Vous pouvez être optimiste ou non, mais vous ne pouvez pas essayer d'être optimiste. Vous me suivez?

Que ce soit pour recommencer l'entraînement, pour changer d'emploi, pour écrire un livre, pour retourner aux études, pour cesser de fumer, pour vous impliquer davantage dans votre famille, pour revoir vos habitudes alimentaires ou pour changer quoi que ce soit, il n'existe que deux réalités : soit vous le faites, soit vous ne le faites pas.

> Cessez de vous bercer d'illusions en croyant qu'y penser c'est le faire.

Est-ce que tout démarre sur le plan de la pensée ? Absolument ! Mais est-ce que simplement d'y penser, d'y penser et encore d'y penser suffit pour transformer une habitude ou une vie ? Jamais !

Si quelqu'un a réussi à vous faire croire que la pensée est suffisante pour attirer tout ce que vous désirez dans votre vie comme par magie, eh bien, détrompez-vous !

> Moi, je dis que la plus petite des actions vaut mieux que la plus grande des intentions.

L'action doit toujours faire partie de l'équation de votre succès.

> Soit vous êtes en train de grandir et de vous améliorer, soit vous ne l'êtes pas.

Nous sommes tous nés avec un désir profond de devenir la meilleure personne possible et de grandir continuellement. Par contre, plusieurs arrivent à un point où ils tiennent malheureusement pour acquis ce qu'ils sont «devenus» et cessent de croire qu'ils peuvent grandir davantage.

Vous pouvez devenir encore plus que ce que vous êtes présentement et avoir beaucoup plus de bonheur. Cependant, rappelez-vous que seul le fait d'y penser ne suffit pas, vous devez passer à l'action.

> Soit vous faites ce qu'il faut
> pour vibrer et avoir plus d'énergie,
> soit vous ne le faites pas.

Lorsque vient le temps de prendre des décisions importantes et de provoquer des changements afin d'améliorer votre vie, il est essentiel d'avoir suffisamment d'énergie afin de soutenir vos ambitions. Malheureusement, plusieurs ont l'intention de faire bouger les choses, de faire de l'exercice, ou simplement de faire une promenade santé afin de respirer l'air frais et de se remettre les idées en place, mais l'intention meurt souvent sur le plan de la pensée et ne se matérialise pas. Passez à l'action dès maintenant, faites cinq redressements s'il le faut et vous resterez surpris de la rapidité avec laquelle vous vous sentirez mieux.

> Soit vous faites le ménage dans
> vos relations afin d'être entouré de gens
> positifs, soit vous ne le faites pas.

Vos relations influencent plus vos résultats et votre état d'esprit que vous ne le croyez. Pensez à une personne d'attitude pessimiste qui vous côtoie régulièrement. Vous arrive-t-il de vous sentir épuisé et vidé lorsque vous la quittez? Si vous croyez que certaines de vos relations auraient besoin d'une mise au point afin de vous aider à progresser vers vos objectifs, cessez d'y penser, et passez à l'action!

> Soit vous faites ce qui vous
> passionne et ce que vous aimez vraiment,
> soit vous ne le faites pas.

Faites-vous ce qui vous fascine et ce qui vous allume comme travail? Passez-vous 40 heures par semaine à faire ce qui vous rend heureux? Sentez-vous que votre raison d'être se manifeste dans ce que vous faites et que vous êtes à l'endroit où vous pouvez contribuer le plus dans ce monde? Ou vous êtes-vous simplement laissé convaincre que ce n'est pas donné à tout le monde de pouvoir faire ce qu'on adore tous les jours?

Eh bien, si vous faites un peu de recherche, vous constaterez rapidement qu'il y a quelqu'un qui est présentement payé pour faire exactement ce que vous aimeriez faire. Alors, pourquoi pas vous?

Est-ce qu'un changement d'emploi, d'orientation ou de carrière nécessitera un peu de recherche, de conseils et de planification? Absolument. Mais pensez au bonheur que vous pourrez enfin vivre lorsque sera venu le temps d'exercer ce travail dont vous rêvez tant. Passez à l'action! Y penser c'est bien, mais le vivre c'est divin.

Oui, mais moi...

Vous en connaissez d'autres qui sont atteints de la maladie du «Oui, mais moi...»?

Oui, mais moi c'est différent.

Oui, mais moi je ne l'ai pas eu facile.

Oui, mais moi je suis né comme ça.

Oui, mais moi j'ai les résultats médicaux qui prouvent que je suis moins intelligent.

Oui, mais moi je suis de telle couleur.

Oui, mais moi j'ai un accent.

Oui, mais moi, oui, mais moi, oui, mais moi...

Et alors ? Le même vent peut propulser un voilier vers l'est et en même temps un autre vers l'ouest. Ce n'est pas le vent qui détermine votre direction, mais l'ajustement de votre voile. Un autre exemple ? Les mêmes conditions économiques peuvent entraîner une personne vers le succès et une autre vers un cul-de-sac. Ce n'est pas l'économie en soi qui détermine votre direction, mais l'ajustement de votre voile.

Tant et aussi longtemps que vous continuerez de croire à vos vieilles histoires et de les revivre, vous ne parviendrez jamais à vivre la vie pour laquelle vous êtes destiné. Devenez maître de votre vie !

Le thermomètre

Vous connaissez sans doute des râleurs qui se plaignent sans cesse sans jamais rien faire pour améliorer leur situation.

> J'appelle ce type de gens impuissants les thermomètres.

Le thermomètre est un instrument fantastique pour vous indiquer quelle température il fait dans une pièce. Lorsqu'il fait trop chaud, votre thermomètre vous confirmera que c'est effectivement le cas, et plus précisément 28,5 °C. Il en va de même si vous trouvez qu'il fait un peu froid ; il vous indiquera qu'il fait −2 °C.

Certaines personnes sont comme le thermomètre : elles peuvent constater une situation, mais elles restent complètement impuissantes, sans pouvoir y changer quoi que ce soit.

Regardons maintenant un autre instrument qui peut également indiquer la température d'une pièce : le thermostat.

Lorsque vous avez trop chaud, vous pouvez consulter votre thermostat et il vous indiquera aussi qu'il fait 28,5 °C. Mais, contrairement au thermomètre, il a toute la puissance requise pour remédier à la situation et transformer la température. Lorsqu'il se met à faire trop chaud, le thermostat active le système de climatisation et fait re-descendre la température de la pièce au niveau que vous lui avez demandé.

L'inverse est également vrai. Si votre thermostat est programmé pour garder la température de la pièce à 21 °C par exemple, dès qu'il constatera que la température a baissé, il activera le système de chauffage afin de contrer l'effet du froid et de respecter la température demandée.

Qu'en est-il pour vous?

> Êtes-vous du type à constater
> que les temps sont difficiles tout
> en restant impuissant?

Est-ce que votre attitude et votre état d'âme indiquent clairement aux gens autour de vous que les temps sont difficiles, qu'il fait chaud, qu'il fait froid, en restant passif?

Ou êtes-vous du type qui constate une situation ou un obstacle et qui peut en outre activer les mécanismes nécessaires afin de stabiliser ou d'améliorer la situation?

Il n'en tient qu'à vous de décider si vous prendrez le contrôle, tel le thermostat. Contrairement aux animaux qui muent afin de s'adapter à l'environnement, vous avez la capacité de transformer le vôtre.

Le potentiel

Vous est-il déjà arrivé d'entendre deux personnes dire de quelqu'un qu'il avait beaucoup de potentiel ? Plusieurs peuvent s'en réjouir alors que ce que cela veut vraiment dire est :

> Vous pourriez être bon,
> mais vous ne l'êtes pas présentement.

Cette personne pourrait bien jouer, bien réussir dans son projet, mais ce n'est pas le cas présentement. La seule raison d'avoir un potentiel ou un talent quelconque est de l'exploiter et de le maximiser afin d'en faire bénéficier le plus grand nombre possible. Sinon, on risque de le perdre !

Si vous aviez une Ferrari, vous contenteriez-vous de rouler seulement à 30 km/h ? Jamais ! Vous voudriez tester et exploiter le plein potentiel de son moteur.

Eh bien, depuis votre naissance, vous êtes muni d'un bolide beaucoup plus performant que celui de la Ferrari.

> Ne vous contentez jamais de rien
> de moins que l'excellence.

La seule personne au monde qui pourrait vous empêcher de vivre l'excellence et d'atteindre le sommet de vos désirs les plus fous, c'est vous !

Vous possédez déjà une aptitude qui, avec un peu de travail, pourrait vous permettre d'accomplir des choses extraordinaires. Cessez de la cacher et montrez-la afin que le monde puisse en bénéficier.

Ne vous contentez pas d'un emploi, d'une situation ou d'une vie... ordinaire.

> *« Ordinaire » est souvent l'ennemi d'« extraordinaire ».*

Vous connaissez des gens qui vont bien mais qui ne vont pas super bien ? Ceux-ci arrivent rarement à trouver l'énergie pour améliorer leur sort, puisqu'ils trouvent que ça ne va pas nécessairement mal.

Lorsque les choses vont bien, nous sommes tous portés à maintenir le *statu quo*. Nous nous plaignons peut-être de temps en temps que les choses pourraient aller mieux, mais bon, ce n'est pas la peine de nous y efforcer, après tout ça va quand même bien.

Pourquoi nous contenter de l'ordinaire lorsque nous sommes fondamentalement tous des êtres extraordinaires ? Développons plutôt notre plein potentiel et offrons le meilleur de nous-mêmes à tous ceux qui nous entourent.

La fausse identité

Vous avez déjà entendu parler du fléau du vol de passeports, de permis de conduire et de pièces d'identité? Ces voleurs tentent souvent de créer des fausses identités afin de commettre une fraude ou de traverser les frontières d'un pays.

Ce phénomène de fausse identité coûte souvent très cher aux victimes et certaines d'entre elles se voient même obligées de «rebâtir» leur crédit.

> Malheureusement, il existe une autre forme de fausse identité qui, selon moi, coûte beaucoup plus cher à ses victimes : la fausse identité de soi.

Vous vous souvenez de la boule de plastique rouge et bleu lorsque vous étiez petit dans laquelle on tentait d'y insérer différentes formes jaunes comme le losange, le cercle, le triangle ou le carré? Plusieurs d'entre nous ont appris leurs formes en essayant d'insérer le carré dans le carré et le triangle dans le triangle.

Maintenant que nous sommes adultes, il est toujours aussi difficile de faire entrer un losange dans un rectangle.

Imaginez que votre passion et votre raison d'être sont d'enseigner et d'échanger avec les autres.

> C'est ce qui vous fait vibrer plus que
> tout et qui vous donne envie de sauter
> hors du lit tôt le matin.

Cependant, quelqu'un vous a convaincu de devenir analyste financier, ce qui exige de vous de travailler seul et de rédiger chaque jour des rapports. Pensez-vous vraiment être au bon endroit?

Voilà pourquoi tant de gens sont malheureux, voire dépressifs, à l'occasion. Ils n'arrivent pas à s'épanouir puisqu'ils ne sont pas à leur place.

Le poste que vous occupez présentement est-il vraiment vous? Ou utilisez-vous plutôt l'identité de quelqu'un d'autre pour une raison ou une autre?

Il n'y a pas de sot métier et nous avons tous besoin l'un de l'autre, alors sachons reconnaître qui nous sommes vraiment et apprécions nos différences.

> Quelle est la meilleure
> occupation pour *vous*?

Je fais ici allusion à un travail, mais cela s'applique aussi bien aux gens qui font le même loisir que leur conjoint, leurs enfants ou leurs parents alors qu'ils négligent complètement d'exprimer leur vraie identité et de faire ce qui les allume, eux.

> Ces gens sont souvent comme des bombes
> à retardement qui n'attendent qu'à exploser.

Nous pouvons emprunter une fausse identité pendant un certain temps, mais tant que nous ne serons pas réellement qui nous

98

sommes et ce que nous sommes destinés à être, nous continuerons de tenter de faire entrer un carré dans un triangle, il sera très difficile de trouver l'énergie et l'enthousiasme nécessaires afin de nous dépasser et de demeurer heureux.

En outre, afin de combler ce vide intérieur, certains risquent de faire appel à ce que j'appelle des «remplisseurs temporaires» comme la drogue, l'excès de nourriture ou d'alcool, le tabac, le jeu et autres béquilles qui peuvent être néfastes pour la santé physique et mentale.

Soyez vous-même, reconnectez-vous avec votre véritable identité et devenez maître de votre vie !

La sphère d'excellence

Si vous deviez vous faire opérer au cerveau et que vous aviez le choix entre un chirurgien qui pratique un peu de médecine familiale, un peu de pédiatrie et un peu de chirurgie, ou un neurochirurgien spécialisé dans les opérations cervicales, lequel choisiriez-vous?

Maintenant, pensez à vos forces et à vos faiblesses. Avez-vous des talents ou des aptitudes qui vous distinguent, qui vous sont uniques ou que vous arrivez à exercer avec une certaine facilité?

> Si tel est le cas, tâchez de renforcer
> vos forces et non vos faiblesses.

Plusieurs sont portés à investir du temps et de l'argent pour renforcer leurs faiblesses alors qu'ils auraient intérêt à faire le contraire; par exemple, un gardien de but de hockey qui passe ses étés à pratiquer les mises en échec. Vous diriez que c'est un idiot, que ce n'est pas son rôle! Pour qu'une équipe gagne, chaque joueur a intérêt à bien connaître son rôle.

Il en va de même pour notre société : tout le monde gagne lorsque chaque citoyen connaît son rôle et y excelle.

Donc, si votre force et votre passion sont la vente alors que vous éprouvez de la difficulté dans la gestion du personnel, embauchez ou associez-vous à un spécialiste de la gestion du personnel et devenez le maître de la vente. Les spécialistes qui évoluent dans leur sphère d'excellence sont généralement non seulement mieux rémunérés, mais ils sont aussi plus épanouis.

Voici quatre questions utiles afin de vous aider à déterminer votre sphère d'excellence :

1. Qu'aimez-vous faire plus que tout ?

2. Si vous étiez à l'aise financièrement, que seriez-vous prêt à faire gratuitement ?

3. Qu'est-ce qui est facile pour vous de faire, mais qui est difficile de faire pour les autres ?

4. Quels talents vos proches reconnaissent-ils en vous ?

En répondant à ces questions, vous devriez être en mesure d'obtenir un bon indice de ce qui devrait être *votre* sphère d'excellence.

Dorénavant, tâchez de déléguer vos faiblesses et de renforcer vos forces afin de vous distinguer et de devenir l'expert dans votre domaine !

Peut-être !

Vous est-il déjà arrivé de vous trouver dans une situation décourageante où rien ne semblait aller ? Ou avez-vous déjà ressenti que vous avanciez, que vous progressiez dans la vie et que les choses allaient finalement à votre goût, jusqu'à ce que la catastrophe frappe à votre porte ou qu'un événement malencontreux vous arrête ou, pire encore, vous force à recommencer à zéro ?

Si oui, ou si c'est l'état dans lequel vous vous sentez présentement, prenez le temps de lire ce qui suit.

Un homme possédait une ferme sur une grande terre ; il y habitait avec son fils et ses deux chevaux. En travaillant sur sa terre une belle journée d'automne, l'un de ses chevaux se blessa gravement à une patte en glissant dans un trou. Le fermier, qui ne pouvait plus utiliser son cheval pour effectuer son travail, dut s'en débarrasser et tenter de le remplacer par un nouveau aussi travaillant.

Lorsque ses voisins entendirent la mauvaise nouvelle, ils vinrent tout de suite lui rendre visite et lui dirent : «Oh, quelle malchance !» Et le fermier leur répondit : «Peut-être !»

Quelques semaines plus tard, le fermier réussit finalement à trouver un cheval qui était non seulement aussi fort et aussi travaillant que le précédent, mais qui était également plus gros et avait une allure du tonnerre. Lorsque ses voisins entendirent la bonne nouvelle, ils vinrent lui rendre visite afin de l'encourager et lui dirent : « Ah, quelle chance ! » Le fermier leur répondit : « Peut-être ! »

Un matin, le fils du fermier prit la responsabilité d'entraîner le nouveau cheval afin de le rendre obéissant, mais il fit une mauvaise chute et se fractura le bras. Son père l'emmena à l'hôpital et le fils en ressortit avec un plâtre et une prothèse.

Lorsque les voisins entendirent la mauvaise nouvelle, ils vinrent lui rendre visite et lui dirent : « Quelle malchance ! » Le fermier leur répondit à nouveau : « Peut-être ! »

Le fils dut rester au repos pendant plusieurs semaines, jusqu'à ce qu'il apprenne que le pays s'en allait en guerre. À peine quelques jours plus tard, les soldats firent le tour du village afin de recruter tous les jeunes garçons qui s'y trouvaient.

Une fois chez le fermier, ils ne purent recruter son fils puisqu'il était blessé. Évidemment, cette nouvelle fit rapidement le tour du village et ses voisins vinrent le visiter.

Puisqu'ils avaient été forcés d'envoyer leurs propres fils à la guerre, ils regardèrent le fermier et lui dirent : « C'est incroyable, votre fils a vraiment eu de la chance de ne pas aller à la guerre ! »

> Que pensez-vous que le fermier leur répondit ? « Eh oui... peut-être ! »

Combien de fois avez-vous eu le sentiment d'être dans une impasse ou de ressentir que, malgré tous vos efforts, vous n'êtes toujours pas rendu là où vous auriez voulu ?

Avez-vous tendance à interpréter négativement les événements ou les situations autour de vous? Si oui, imitez l'attitude de ce fameux fermier.

Serait-ce possible que, dans ces situations, se cache une occasion déguisée? Peut-être!

Les relations

Comme nous avons pu le constater, l'environnement dans lequel nous évoluons peut avoir un impact positif sur nos ambitions, mais il peut aussi avoir un effet négatif sur les résultats que nous tentons d'obtenir. S'il y a un domaine où nous devons porter une attention particulière, c'est sur le plan de nos relations.

Voici trois types de relations qui peuvent affecter notre performance et notre état d'esprit.

1. Celui où nous devons augmenter la fréquence

Avez-vous déjà entendu votre professeur dire qu'il ne fallait pas copier, sous peine de conséquences? Eh bien, en ce qui concerne le succès, cette consigne ne s'applique pas tout le temps.

Une des façons les plus rapides d'atteindre votre objectif consiste à trouver quelqu'un qui l'a déjà atteint et d'imiter sa façon de penser, son système de croyances et la grandeur de ses ambitions. Aujourd'hui, avec Internet, il est de plus en plus facile d'étudier le comportement et les stratégies d'une personne qui vous inspire.

Et si vous admirez la façon d'être et de penser d'une de vos connaissances, tentez de la fréquenter davantage. Plus vous passerez de temps avec elle, plus elle aura un impact positif dans votre vie.

2. Celui où nous devons limiter la fréquence

Il existe une autre catégorie de personnes avec qui nous pouvons échanger ou partager un repas à l'occasion. Elles peuvent faire partie d'une association dans votre région, d'une classe à laquelle vous assistez, ou peut-être sont-elles vos voisins. Cependant, ces gens ont possiblement des habitudes, des comportements ou des valeurs que vous ne partagez pas.

Prenons l'exemple d'un voisin qui désire passer davantage de temps avec vous. Il a peut-être un bon emploi et il contribue possiblement aux œuvres de charité. Toutefois, lorsque vous le voyez, il a tendance à prendre un ou deux verres de trop et, à ce moment-là, manque de respect envers sa conjointe.

Ou encore, l'une de vos amies, qui fait partie des ateliers que vous suivez, désire passer davantage de temps avec vous en soirée et les fins de semaine. Cependant, vous remarquez que chaque fois que vous la quittez, vous ressentez ce sentiment de lourdeur et de découragement puisqu'elle parle constamment de ses problèmes au travail, à l'école, avec son conjoint, ses enfants, son chien, si ce n'est pas de son poids.

Ce ne sont pas pour autant de mauvaises personnes et ça ne veut pas dire qu'elles ont de mauvaises intentions. Toutefois, leur comportement pourrait avoir une influence négative sur votre moral, sur votre famille ou sur votre réputation.

Voilà pourquoi il serait sage de ne pas les laisser envahir votre territoire, de limiter le temps que vous leur accordez.

3. Celui qui nécessite de mettre fin à tout contact ou à toute fréquentation

C'est le type le plus radical. Vous souvenez-vous lorsque vos parents vous disaient de ne pas fréquenter certains de vos voisins ou partenaires de classe parce qu'ils participaient à des activités illégales ou maltraitaient leurs pairs? Malheureusement, ces personnes n'existent pas que sur les bancs d'école.

On y trouve, entre autres :

- les amis qui courtisent votre partenaire de vie ou qui pourraient menacer votre couple ;

- les gens qui pourraient affecter votre sécurité ou celle de votre famille ;

- les personnes jalouses et négatives qui tentent constamment de vous décourager, de vous abaisser ou de vous inciter à aller à l'encontre de vos rêves et de vos valeurs.

Quelques noms vous viennent à l'esprit? Si c'est le cas, ne prenez pas ces relations à la légère.

Je suis convaincu que si vous appreniez aujourd'hui que vous êtes atteint d'un cancer et que, sans intervention immédiate, il y aurait un risque qu'il se propage, vous n'hésiteriez pas à faire le nécessaire pour remédier à la situation.

Certaines relations peuvent aussi avoir un tel effet sur nos vies. Il est donc primordial de leur accorder l'espace qu'elles méritent dans nos vies : aucun !

Prenez le temps de réaliser ce qui affecte le plus vos pensées, vos ambitions et votre comportement ces temps-ci.

Après avoir catégorisé vos trois types de relations, vous constaterez qu'il vous restera dorénavant plus de temps à consacrer au premier type, ces personnes qui encouragent vos efforts, qui partagent vos valeurs et qui peuvent vous aider à transformer vos rêves en réalité !

Voici un exercice à faire dans votre cahier. Écrivez le nom de deux personnes pour chaque type de relations et tâchez de leur accorder le temps et l'énergie qui correspondent à vos ambitions, soit à augmenter, à limiter ou à éviter à tout prix.

Suivre un suiveur

Maintenant que vous avez pris le temps de déterminer quelques personnes avec qui vous aimeriez augmenter la fréquence de vos relations, assurez-vous de suivre les bonnes...

Voici l'histoire de l'horloger.

Un homme possédait un commerce de réparation de montres et d'horloges. Son commerce était situé dans une rue passante qui menait à l'usine de fabrication où la majorité des habitants travaillaient.

Un bon matin, il remarqua un homme s'arrêter devant son commerce pour regarder la grosse horloge qui se trouvait dans sa vitrine. Puis, il reprit son chemin quelques instants après. Une semaine plus tard, l'horloger vit le même homme devant son commerce ; celui-ci regarda la grosse horloge pendant quelque temps et partit à nouveau.

Ce n'est qu'après plusieurs semaines que l'horloger eut le courage de sortir de son commerce et de satisfaire sa curiosité en attendant l'homme qui, chaque semaine, prenait quelques secondes pour s'arrêter, regarder l'horloge et repartir sans jamais poser de questions.

Comme d'habitude, l'homme mystérieux s'arrêta devant le commerce de l'horloger. Trop curieux, ce dernier s'empressa de l'interrompre et lui demanda : « Excusez-moi, monsieur, cela fait maintenant plusieurs semaines que je vous vois arrêter devant mon horloge pendant quelques secondes et repartir sans jamais entrer pour me demander quoi que ce soit. Veuillez excuser ma curiosité, mais pour-quoi vous arrêtez-vous devant mon commerce chaque semaine?»

Le passant lui répondit d'un ton amical : «Eh bien, je suis désolé, mon cher monsieur, je n'avais pas pensé que cela pourrait paraître curieux. Je suis le chef contremaître de l'usine de fabrication qui se trouve juste au bout de la rue et je prends toujours le temps de venir voir votre grosse horloge afin de m'assurer que j'ai la bonne heure, puisque c'est moi qui fais sonner la grande sirène qui indique la fin de la journée à mes ouvriers.»

L'horloger, surpris, répliqua : «Tenez, c'est curieux puisque cela fait déjà plusieurs années que je me fie à la sirène de votre usine afin d'ajuster l'heure de mon horloge!»

> Lorsque vous décidez de suivre un leader
> ou un mentor, assurez-vous de ne pas être
> en train de suivre un suiveur!

Les suiveurs sont nombreux puisqu'ils constituent une très grande partie de notre société. Si vous êtes derrière un suiveur au lieu d'un bon mentor, vous risquez de tourner en rond longtemps. En effet, les suiveurs ne sont pas plus avancés que vous! Cependant, si vous arri-vez à trouver un bon mentor, il vous fera gagner beaucoup de temps...

Le mentorat

Quoi de mieux qu'avoir quelqu'un d'expérience pour vous conseiller dans une nouvelle étape de votre vie ! Que ce soit sur le plan personnel ou professionnel, un mentor peut vous aider à créer les changements requis afin d'accomplir un projet important ou d'atteindre un objectif précis.

Cependant, lorsque viendra le temps de le trouver, il sera primordial de faire vos recherches et d'obtenir toute l'information à son sujet, car aujourd'hui n'importe qui peut s'improviser coach ou expert. Il ne suffit que d'une belle affiche, de quelques cartes professionnelles, d'un beau site Web et hop ! le super coach est né !

Si vous désirez vraiment des résultats concluants, prenez garde de ne pas retenir les services d'un charlatan ! Voici donc trois points importants que vous devrez rechercher et vérifier avant de choisir votre nouveau mentor.

1. La réputation

Puisque votre temps est précieux et que vos ressources financières ne sont probablement pas sans limites, assurez-vous de demander à quelques personnes qui ont fait affaire avec le mentor dont vous planifiez retenir les services ce qu'elles ont pensé de leur expérience.

A-t-il une bonne réputation ? Quels sont les commentaires relativement à ses conseils, formations, vidéos ou domaines d'expertise ? Si vous avez de la difficulté à en trouver, c'est peut-être une bonne indication qu'il a encore peu d'expérience dans le domaine. Ce qui ne veut pas nécessairement dire qu'il est incompétent, mais il reviendra à vous de juger si votre projet et vos intentions nécessitent un intervenant d'expérience ou non.

Si, au contraire, vous trouvez une abondance de commentaires et d'informations à son sujet où plusieurs expriment leur insatisfaction ou leur mécontentement, prenez le temps de faire des recherches additionnelles avant de vous engager à court ou à moyen terme. Évidemment, il faut apprendre à relativiser quand vient le temps d'analyser tout ce qui peut se dire sur Internet, mais ordinairement, le succès a tendance à laisser des traces. Vous ne voudriez pas apprendre à vos dépens que votre supposé super coach a beaucoup de style mais peu de substance...

2. Le respect

Lorsque vient le temps de sélectionner votre mentor, il vous faut trouver le même ingrédient à la base de toute relation, c'est-à-dire le respect.

Puisque vous devrez passer beaucoup de temps avec votre nouveau mentor, que ce soit en personne, par webconférence ou par téléphone, il doit exister un respect mutuel entre vous. Malheureusement, certains mentors se prennent un peu trop au sérieux et ont tendance à agir comme s'ils étaient supérieurs.

Prenez le temps d'échanger verbalement à quelques reprises avant de vous engager et d'officialiser le tout.

Un mentor arrogant ou prétentieux ne saura vous inspirer à vous dépasser, du moins pas pour longtemps !

3. Les résultats

Si votre mentor a une bonne réputation, qu'il est respectueux, mais qu'il n'arrive pas à obtenir des résultats concrets et quantifiables avec ses clients, poursuivez vos recherches !

Il peut arriver qu'un mentor ait les deux premières qualités recherchées, mais que sa force réside seulement en ses capacités de développer des relations au lieu de générer des résultats pour ses clients.

Rappelez-vous que ce n'est pas un ami que vous cherchez, mais bien un allié qui saura vous inspirer et vous aider à optimiser vos performances. Ne vous associez pas non plus à un mentor qui n'est qu'en amour avec lui-même et qui préfère s'entendre parler que de trouver des solutions pour ses clients.

Avoir accès à un mentor compétent peut s'avérer bénéfique. Il saura non seulement vous guider dans votre perfectionnement personnel, mais aussi vous inspirer à réussir davantage sur le plan professionnel.

En prenant le temps de vérifier ces trois aspects importants, vous éviterez plusieurs erreurs coûteuses et vous accélérerez votre croissance.

Plus haut!

Saviez-vous qu'une puce peut sauter jusqu'à 150 fois sa propre grandeur? Si nous arrivions à faire pareil, nous pourrions sauter à plus de 275 m de haut. Afin de mettre cela en perspective, la statue de la Liberté, à New York, mesure 92 m de hauteur.

De plus, une puce peut sauter 30 000 fois consécutives sans avoir à s'arrêter pour prendre une seule pause. Si nous avions cette énergie, imaginez ce que nous pourrions accomplir dans une semaine!

La puce est en outre capable de transporter jusqu'à 160 000 fois son poids et accélère 50 fois plus vite qu'une navette spatiale. Elle est tout de même impressionnante, cette petite puce!

Et si vous mettiez cette même puce dans un pot et que vous fermiez le couvercle, elle se mettrait à sauter en s'y cognant chaque fois.

Par contre, après s'être suffisamment cognée sur le couvercle, elle commencerait à sauter un peu moins haut. À partir de ce moment, vous pourriez retirer le couvercle sans craindre qu'elle saute à l'extérieur, puisque son cerveau serait dorénavant reprogrammé à ne plus sauter aussi haut.

> La puce a donc été conditionnée.

Qu'en est-il pour vous? Vous est-il déjà arrivé d'expérimenter de la douleur à un point où vous vous êtes depuis conditionné à sauter moins haut afin d'éviter de souffrir à nouveau?

Avez-vous décidé de décrocher de vos rêves? Selon moi, le décrochage des adultes a un impact aussi important sur notre société que le décrochage scolaire.

Avez-vous déjà tenté de vous lancer en affaires sans jamais atteindre le niveau de succès désiré?

Vous êtes-vous investi dans une relation amoureuse qui s'est soldée par un échec qui vous a fait très mal?

Avez-vous des mauvais souvenirs de votre enfance qui vous empêchent encore de sauter plus haut?

Sachez que vous n'avez pas à répéter votre passé et que ce n'est pas parce qu'il y avait un couvercle qu'il y en a encore un aujourd'hui.

> Rappelez-vous que l'heure la plus sombre vient toujours juste avant le lever du soleil.

Malgré toute la douleur que vous avez pu ressentir en amour, en affaires, sur le plan personnel ou professionnel, je vous invite à regarder en haut afin de constater que le couvercle n'y est plus.

Devenez maître de votre vie en recommençant à sauter plus haut et en réclamant tout le bonheur qui vous appartient!

Le mental

Afin de devenir maître de votre vie, il est essentiel que vos actions mentales viennent appuyer vos actions physiques de façon cohérente.

Pensez à votre rêve, à votre projet ou à votre objectif comme une locomotive. Afin que celle-ci puisse avancer et se rendre à destination, vous devrez la mettre sur deux rails parallèles.

Le premier rail représente votre direction mentale et le second, votre direction physique. Vos deux rails doivent rester parallèles afin que votre locomotive (votre rêve) puisse avancer et éviter de dérailler.

Il est relativement facile de constater si vos actions physiques soutiennent votre rêve puisqu'elles sont visibles et tangibles ; elles sont également facilement mesurables.

Cependant, lorsque vient le temps de vérifier si votre mental soutient aussi bien votre rêve que votre physique, cela nécessite une analyse plus profonde. Malheureusement, plusieurs se croient trop occupés pour prendre le temps d'analyser ce qui s'y passe entre leurs deux oreilles.

> Ces mêmes personnes expérimentent souvent ce que j'appelle le syndrome du symptôme.

Ceux qui vivent ce syndrome tentent continuellement de corriger leur situation en ne focalisant que sur le physique. Puisqu'ils n'arrivent pas à obtenir les résultats désirés, ils remettent en question et analysent toute action physique. C'est bien, mais l'action physique n'est souvent qu'un symptôme ou un effet, alors que la vraie cause se cache dans le mental.

Pensons à un boxeur qui s'entraîne tous les jours à perfectionner sa technique avant le combat ultime. Peu importe la force physique et les techniques acquises durant son entraînement, s'il n'arrive pas à dompter et à contrôler son mental une fois dans l'arène, il risque de se trouver rapidement au tapis.

Prenez le temps d'arrêter régulièrement et d'évaluer si votre mental soutient toujours ce que vous tentez d'accomplir sur le plan physique.

Lorsque nous établissons un objectif, le mental et le physique sont souvent en concordance. Ce n'est qu'après quelque temps, sans supervision, que le mental peut avoir tendance à prendre une direction différente.

Comme un logiciel antivirus sur votre ordinateur, vous devez régulièrement procéder à l'analyse de votre disque dur (votre mental) afin de vous assurer qu'il ne nuit pas à ce que vous tentez d'accomplir.

Restez alerte, et votre locomotive se rendra à destination !

Le maître communicateur

Lors de mes séminaires et de mes formations à l'Académie des maîtres, nous mettons beaucoup l'accent sur l'importance de bien communiquer.

Il est difficile de progresser vers un objectif lorsque nous avons de la difficulté à communiquer efficacement avec nos collaborateurs. Si plusieurs personnes tentent d'améliorer leur communication verbale, elles négligent de porter une attention particulière à leur communication non verbale.

Si vous désirez avoir plus d'impact, rappelez-vous ceci :

> Lorsque vous parlez devant une ou plusieurs personnes, il y a toujours deux conversations qui ont lieu simultanément : la conversation verbale et la conversation non verbale.

Votre gestuelle et votre langage corporel pourraient donc contredire ce que vous tentez de communiquer verbalement.

Voilà pourquoi j'ai mis à votre disposition une formation vidéo intitulée *Devenez maître communicateur*. Vous pouvez la regarder gratuitement en visitant le lien suivant: academiedesmaitres.com/livre-extra.

Le maître communicateur doit non seulement maîtriser son langage corporel, mais il doit aussi s'assurer de bien communiquer avec ses interlocuteurs.

Voici un survol des huit caractéristiques enseignées dans cette vidéo exclusive à vous, cher lecteur.

1. Le bon communicateur est intéressant, mais le maître communicateur est intéressé.

2. Le bon communicateur entend ce qu'on lui dit, mais le maître communicateur entend même ce qui n'est pas dit.

3. Le bon communicateur sait toujours quoi dire, mais le maître communicateur sait aussi comment le dire.

4. Le bon communicateur sait bien lire son discours, mais le maître communicateur sait bien lire son audience.

5. Le bon communicateur influence les gens à faire ce qu'il veut, mais le maître communicateur inspire les gens à faire ce qu'ils veulent.

6. Le bon communicateur sait comment écouter, mais le maître communicateur sait comment communiquer.

7. Le bon communicateur utilise un répertoire de faits, mais le maître communicateur utilise un répertoire d'anecdotes.

8. Le bon communicateur accède au cerveau, mais le maître communicateur accède aussi au cœur.

Notre façon de communiquer avec nous-mêmes et avec autrui affecte directement notre capacité de créer et d'obtenir les résultats que nous désirons.

Les maîtres communicateurs connaissent non seulement l'importance de savoir communiquer afin de pouvoir inspirer les autres, mais aussi l'importance de maîtriser leur discours intérieur afin de pouvoir s'influencer eux-mêmes à passer à l'action. À quoi bon vouloir changer le monde si nous n'arrivons même pas à maîtriser notre monde?

Ensemble

Je ne sais pas comment ce livre a pu se retrouver entre vos mains. Peut-être l'avez-vous gagné, peut-être l'avez-vous trouvé ou tout simplement acheté.

Peu importe la manière dont vous l'avez obtenu, je crois sincèrement que si vous avez pris le temps de le lire jusqu'ici, cela démontre sans l'ombre d'un doute que vos rêves et vos ambitions sont pour vous très importants.

C'est pour des personnes passionnées comme vous que j'ai fondé l'Académie des maîtres. Afin que tous ceux et toutes celles qui désirent devenir maîtres d'un aspect de leur vie puissent partager, apprendre et grandir ensemble.

L'Académie permet aux gens des quatre coins du monde de se retrouver dans des événements virtuels par Internet, sous forme d'ateliers et de webinaires en direct.

Nous offrons également plusieurs vidéos et formations préenregistrées, toutes en français, afin que chacun puisse évoluer à son propre rythme.

Je vous laisse avec cette dernière histoire. Peut-être nous reverrons-nous en ligne, sur academiedesmaitres.com, ou nous croiserons-nous lors d'un de nos événements.

Deux enfants marchaient le long d'un chemin de fer en tentant de ne pas perdre l'équilibre.

Malgré plusieurs tentatives, ils n'arrivaient jamais à rester sur leur rail respectif très longtemps.

> Jusqu'à ce qu'ils décident de marcher l'un à côté de l'autre en se tenant la main.

Ce faisant, ils ont pu marcher pendant plusieurs kilomètres sans tomber.

> Personne n'est aussi intelligent seul que nous tous réunis.

Soyons donc généreux et partageons nos forces les uns avec les autres afin que personne ne soit laissé derrière.

En nous tenant la main et en faisant preuve d'entraide, nous réussirons nous aussi à nous rendre jusqu'au bout du chemin... de la réussite et du bonheur !

Bonne continuité, et à bientôt !

Votre ami et partenaire,
Stephan